KICKOFF

zum

SINN

Herstellung und Verlag: BoD – Books on Demand,
Norderstedt
ISBN: 9783752690200

Nach Teil I „Ruf nach dem Sinn" und Teil II „Mut zum Sinn" rundet „Kick-off zum Sinn" die Trilogie über den Sinn ab.
Teil I: Projektionen auf Glauben, Wahrheit, Sein aus der Sicht eines Managers, Politologen, Leistungssportlers.
Teil II: Anreize, um die Schüchternheit abzuschütteln, zum Sinn aufzubrechen.

Teil III: Wer nicht aufbrechen will, steht still, ist in Unwissenheit blockiert. Wo ist der Sinn? Wir selbst sind nicht ohne Sinn. Er gehört zu unseren Basics. Jedes Beiseiteschieben wäre schizophren. Der Kick-off schießt in den spirituellen Dialog mit der Realität hinein. Erst wenn wir Sinn bekommen, erkennen wir die Absurdität von Sinnlosigkeit. Sinn ist keine Form, Sinn ist Zukunft.

INHALT Seite

VORSPANN

Fragen des Wollens haben meist Abläufe in der Welt zum Gegenstand. Sie können aber auch auf etwas abzielen, zu dessen Erklärung man sich auf das Weltganze, auf das eigene Weltbild, auf den Sinn der Welt fokussiert. Es ist ein Wesenszug des Glaubens, die geistige Sehkraft zu schärfen. Neue Leidenschaften verlangen nach einem Wechsel der Mittel.

Die Thematik bietet eine immense Projektionsfläche, auf der die Programme des Lebens bearbeitet werden. Zur allgemeinen Verdrossenheit hat das Wort "Glauben", wie es heute verwendet wird, heftig beigetragen. Im Laufe der Zeit hat er den Beigeschmack des völlig Spekulativen, Ungewissen und Unverlässlichen bekommen. Dass er viel mehr in sich trägt, wurde zu wenig beachtet.

Das Glauben umfasst den ganzen Horizont, in dem wir das Leben sehen können. Es wird nicht im Labor erzeugt. Es ist der bewährte Stimulus, der zählt, um zur Lebenserfüllung zu finden. Haben wir den Wind gesehen? Das geht nicht, aber er ist da. Darum glauben wir, dass es ihn gibt. Geistige Freiräume werden geschaffen, um den Sinn anzunehmen. Zwar bietet sich die absolute Sicherheit nie an und schon gar nicht sofort, aber letztlich sind es dann oft ein paar Prozentpunkte, die uns richtungsweisend weiterhelfen.

1. DER KAMPF MIT DER REALITÄT

Wie gehen wir mit Realität um? Kämpfen wir gerne? Man könnte auch fragen, wie bewohnen wir sie? Wann sehen wir sie? Wenn sie für uns da ist, brauchen wir sie auch nicht zu fürchten. Was uns erdrückt, ist nicht die Realität, sondern unsere Vorstellung von der Wahrheit. Wie wird der Nebenschauplatz unseres Alltags zum Kern unseres Daseins?

Besonders in Krisenzeiten dringen die Sehnsüchte nach Sicherheit durch. Dann wird klar vor Augen geführt, dass etwas fehlt. Es könnte sogar sein, dass sich der Mensch dann seiner ureigenen Aufgabe besonders bewusst wird. Lässt ihn dennoch alles kalt, hat ihn die Arroganz bereits wie Rost befallen. Die Mechanismen der Lebendigkeit sterben langsam ab.

Sport und Religion kommen öfter in Berührung als man glauben würde. Deshalb interagieren auch die Erkenntnisse aus Sport- und Religions-Soziologie. Spiritualität wird durch Sport gefördert, nicht konterkariert. Bei der von Hochleistungssportlern geforderten eisernen Disziplin ortet man oftmals subjektive Erfahrungen besonderer Art. Sie sind mit dem Spirituellen verbunden und gehen über die Kategorien des erfreulichen Sport-Spektakels hinaus. Man wird vom Übernatürlichen nicht nur in Erfolg oder auch Misserfolg geleitet, man schenkt es dem Übernatürlichen sogar zurück - das macht stark.

Gepflegt wird der Glaube, wenn er gut verinnerlicht und dynamisiert ist. Die Interpretationen der Sinnfindung des Lebens kennen unzählige Variationen. Leistungs-Sportler pflegen eine eigene Religiosität, wenn sie offen ausdrücken, dass ihr Glauben unabhängig von den Leistungsergebnissen ist. Dann verwundern auch nicht die Ansagen junger Sportler wie „Man brauche Gott, aber nicht um Erfolg zu haben, sondern seine Präsenz“. Ein bekannter Wellenreiter übertrug einmal seine Erfahrungen ins Philosophische mit der Feststellung „es geht darum die Welle im richtigen Augenblick zu reiten, sonst überrollt sie dich, wie ein Leben ohne Spiritualität“.

Viel ließe sich erzählen, wie der spirituelle Glaube das Leben von Spitzen-Sportlern prägt. Erstaunlich, was man von einem der ruppigsten und als erfolgreichen ‚Macher‘ bekannten Fußballtrainern hört, Jürgen Klopp: „Ja, klar. Gläubig sein, aber nicht darüber reden wollen – ich wüsste überhaupt nicht, wie das gehen sollte!“ Zahllos sind die Profi-Fußballer, die den Glauben als Navigationshilfe im Leben befürworten. Da braucht man gar nicht lange zu suchen, um fündig zu werden. Und ebenso in anderen Bereichen, ob Leichtathletik, Wrestling, Boxen, Eiskunstlauf, Ski-Rennen oder was auch immer, der Glaube spielt so unheimlich oft mit. Wenn Sport zur Selbsterfahrung zählt, eröffnen sich in dieser Beziehung zum Transzendenten gigantische Erfahrungsräume. Jedenfalls mehr als wenn man sich Drogen oder sinnlosen Besäufnissen hingibt.

Wollen Sportler einen Leistungs-Absturz verhindern, denken sie sich stets etwas Neues zur Bewegungssteuerung aus. Sie sind darauf erpicht, das selbsterhaltende System zu pflegen. Und sie kommen drauf, dass der Sieg in der Gelassenheit liegt. Sie kennen ihre eigenen Wettkampfgeschichten und wissen, dass diese in einem größeren Ganzen eingebettet sind. In der Spiritualität ist es wie im Sport, man darf nie aufgeben. Beide Ansprüche setzen auf Vertrauen. Die Motivation zum unbedingten Wollen muss aus den Köpfen heraustreten und in die Tat umgesetzt werden. Es könnten sich sonst unhaltbare Vorstellungen einnisten. Allen Widrigkeiten zum Trotz wird man aktiv. Das bessere Lebensgefühl ist die Belohnung.

Ähnliche Schnittmengen finden sich in den Weltanschauungen von Führungskräften. Wenn das Manager-Gehirn verschiedene Netzwerke in Gang setzt, deutet es im Letzten auch auf eine nachvollziehbare Beschäftigung mit den Fragen des Seins. Ein Wissen über die höheren Zusammenhänge ist immer förderlich, denn es gehört zum Seienden dazu. Ohne Zielorientierung im Gepäck kommt der Mensch nicht aus. Er darf und soll sie sogar gebrauchen. Was ist wahre Realität? Sie wird als die Menge aller Überzeugungen definiert, die sich dem Menschen zu einem bestimmten Zeitpunkt in einer bestimmten Situation vorstellt. Genügt das? Der Meinungsaustausch und die intersubjektive Bestätigung sind noch keine Wahrheit. Wir reden über eine Realität, die viel komplexer ist.

Was tun wir, wenn die Gewohnheiten und vermeintlichen Sicherheiten des Alltags auf einmal verschwunden sind? Anlässe gibt es genug wie Zusammenbrüche, Katastrophen, Krieg, Krankheiten, Epidemien. Es trifft ein, dass an einen Normalbetrieb nicht mehr zu denken ist. Dann fährt man auf Sicht, so gut es geht. Wichtiger wäre es, das Beständige anzupeilen. Den Weg aus der Ausweglosigkeit heraus gibt es immer dort, wo sich das Übernatürliche zeigt. Das Innenleben entwickelt sich zu einem Zusammenleben der geistigen Welten.

So wie wir radikal dem Loslassen entgegengehen, steuern wir unerbittlich auf die persönliche Entscheidung zu. Sie wird uns nicht entgegenfließen, auf uns wird es ankommen, sie zu treffen. Dies ist unsere direkte, ungezwungene, intelligente und punktuelle Diskussion mit uns selbst. Es ist der Balanceakt zwischen Lebens-Romantik und Endzeitstimmung. Es ist nicht anzunehmen, dass wir uns mutwillig aus der Hitze des Gefechts in die Kälte einer endgültigen Eiszeit unserer Existenz fortbewegen wollen.

Wenn wir uns mit Glaubens-Erwartungen beschäftigen, bietet sich geradewegs ein unübersehbarer geistiger Gewinn an. Die Rolle der Verantwortung ist damit aufbereitet. „Was ich nicht weiß, macht mich nicht heiß“ zeugt von wenig Verantwortung. Viele wissen eben nicht, wie sie sind, es macht ihnen aber nichts aus. Auf diese Weise können sie sogar perfekt lügen, ohne zu wissen, dass sie es tun. Die Gefangenschaft in der „Wir-sind-wir“-Mentalität ist fast schon peinlich. Bekanntlich kann niemandem, der noch nie eine Ananas gegessen hat, wirklich erklärt werden, wie eine Ananas schmeckt. Man müsste sie also ausprobieren.

Die Intelligenz des Menschen besteht nicht in dem, was er alles bis zur höchsten Problemlösung bewirken kann, sondern im Nachdenken über das Sein und den Sinn von allem. Wer sich von den existenziellen Dingen angesprochen fühlt, ist ausreichend zum Weitermachen motiviert. Die Impulse sind notwendig, denn im Feed-Back drängen sich unaufhaltsam Zweifel und Bedenken auf. Immer wieder zeigen sich Irritationen, im Positiven genauso wie im Negativen. Gefühle sind einfach da und entziehen sich der Reglementierung, egal ob es Trauer oder Freude, Verzweiflung oder Enthusiasmus ist. Niemand kann sie prima-vista verhindern, aber es steht in unserer Fähigkeit und Verantwortung, sie zu handhaben. Unsere Denkprozesse müssen wir regulieren können.

Leben, Lernen, Wissen ist die Devise zur Bewältigung dessen, was wir in den Griff bekommen wollen. Es ist mit dem Leben wie mit dem Bergsteigen, es geht immer weiter, nur selten bleibt man stehen. Das Gipfelglück ist ein sehr kurz bemessenes, denn es geht immer weiter.

Wäre dem nicht so, kämen wir nicht voran. Trotzdem empfinden wir gerade die Momente des Stehenbleibens und Genießens als besonders wertvoll. Und das ist es, was in den jeweiligen Augenblicken die menschliche Existenz ausmacht. Die Klippen, die unterwegs auftauchen, machen das Abenteuer aus. In der gegenwärtigen Stunde wird der Gipfelsieg sekundär, die Reize sind es, die zum Sinn führen.

Man muss den Dingen auch die Zeit geben, sich setzen zu lassen. Dadurch wird das Positive attraktiver. Die verheißungsvollen Anregungen dürften am Ende die Oberhand behalten, weil Sinn keinen sinnlosen Abbruch zulässt. Es ist das stärkste und glaubwürdigste Angebot, das die Erfahrung bereithält. Im Laufe des Lebens wird man viel erfahren, nur wie man es verarbeitet, macht die Kompetenz der Weisheit aus. Wir können sie nicht einfach hinter uns lassen.

Die Lebensordnungen sind da, um erkannt zu werden. Die Erfahrung müssen alle durchmachen, niemand kann sich ihnen entziehen, sie sind zu akzeptieren. Der Höhepunkt des Durchlebten liegt in den Schlussfolgerungen, die daraus gezogen werden. Jedes einzelne Individuum wird sie selbst ziehen, die Resultate liegen in der Verantwortung eines/r jeden. Es wird verlockend sein, dafür zu kämpfen. Je besser unser Verhältnis zum Transzendenten ist, umso fruchtbarer sind die Lösungsanteile.

Auf dem Jahrmarkt der menschlichen Eitelkeiten findet sich ein Sammelsurium an Irrungen, Eigenkonstruktionen und Aberglauben. Über die dabei angewandte Gewalt ist gar nicht erst zu reden. Oder leugnen wir die Verhaltensmuster, welche die sozialen Pathologien fördern? Der Widerspruch liegt im Drang, sich verbessern zu wollen und in der rebellierenden Resistenz.

Womit agieren wir streng genommen, mit dem Körper oder mit dem Geist? Nach Krisen, Katastrophen, Kriegen oder sonstigen Paradoxien so weiter zu machen wie bisher, wäre irrational. Wie befreiend könnte sich doch auswirken, die glaubhaften Prioritäten des Lebens näher zu betrachten. Da ist vieles möglich, auch wenn unvermutet irgendwelche Pflichten auftauchen. Die Prinzipien gegenüber der Allmacht sind nicht so harmlos außen vor zu lassen.

Wie lassen sich Lebensgefühle beschreiben? Am besten übergeben wir uns ihnen, wenn wir auf Zukunft und Sinn zusteuern. Oder wir leiden an Zukunfts-Unlust. Menschen sind oftmals froh, wenn ihnen etwas geschenkt wird. Vor allem auch dann, wenn es etwas Unerwartetes ist, ein Durchbruch, ein Ereignis, ein neuer Tag. So werden sie auch glücklich, wenn sie noch vor der Einfahrt ins Unbekannte positiv überrascht werden. Die Kunst des Lebens besteht darin, es so zu strukturieren, dass uns ein ausreichendes Maß an Neuem vorschwebt.

Verliert sich die Kraft der Erkenntnis? Dafür nimmt die Hoffnung zu. Sind wir von der Stärke des Menschen oder von der Stärke des Übernatürlichen beeindruckt? Das, was sich fortsetzt, hat sich bereits zum ersten Weihnachten ereignet. Das Grundsätzliche werden wir benötigen, um zu überleben. Schon die alten Griechen haben festgestellt, dass das Sichtbare nur ein Teil unserer Realität ist. Wir leben aber nicht in zwei divergierenden Welten, das Leben ist eine Einheit. Sie lässt sich nicht vom Geist trennen. Wenn ich als Mensch nicht weiß, wer ich bin, lebe ich daneben. Daran ändert auch die Sucht nach dem Genuss nichts. Auch er wird Irgendeinmal langweilig.

Nicht die Fakten, auch nicht die Einbrüche im irdischen Leben und die Verzweiflung werden uns bekümmern, sondern das Neue. Wie kommen wir an das echte Leben

heran? Es ist ein Zeichen der Reife, wenn wir imstande sind, über den Tod beschwerdefrei zu reflektieren und es auch tun. so wie es die Menschen in früheren Zeiten immer schon getan haben. Dann geht es auch nicht mehr darum, jedes Mal beim Aufstehen in der Früh zu frohlocken, einen Tag länger dazugewonnen zu haben. In der Sinnhaftigkeit geht es um mehr. Sind wir Meister des Verdrängens geworden?
Zu einem intensiven Leben gehören der Tod und sein Sinn dazu. Nur dann ist Leben mehr als bloß das Vermeiden von Tod. Der italienische Star-Dirigent Riccardo Muti zitiert gerne den Aphorismus, der in der Musik-Geschichte öfter auftaucht: „Es ist nicht das Leben, das stirbt, sondern der Tod". Dieses Statement beruhigt ungemein. Es ist schon viel gewonnen, wenn wir nicht im Spektrum von Evolution stecken bleiben und Schöpfung dazu nehmen.

Die Selbstorganisation der Moleküle ist noch kein

Beweis für Allmacht. Es geht weiter in einen dritten Aspekt. Die Christologie zeigt ihn auf. Sie definiert ihn als den Moment der Erlösung. Diese Befreiung empfiehlt sich, durchdacht zu werden. Selbst diejenigen könnten es tun, die von ihr noch nichts gehört haben. Das Übernatürliche ruft so, dass der Mensch es hören kann. Es will die Menschennatur in das Neue mitnehmen. So wurde es mitgeteilt. Die Aufforderung ist da, sich aus der Zone des hartnäckigen Beharrens zu lösen.

2. DAS WARUM

Wie betrachten wir die Dinge? Dazu brauchen wir ein Bewusstsein. Doch wie geht man damit richtig um? Wie sieht es mit der Befindlichkeit des Menschen im Laufe der Zeiten aus? Was ist Leben? Was oder wer ist der Mensch? Ihn nur als Primaten, als „Herrentier“ hinzustellen, entspräche nicht seiner Persönlichkeit. Ist er heute das Wesen, das am Computer sitzt, das in den Weltraum fliegt, das nach wie vor seine Artgenossen beerdigt? Definitiv ist er das Wesen, das erkennt, dass es zunächst einmal sterblich ist.

Die Naturwissenschaft lässt die Großhirnrinde als Denkmaschinerie, Informationsspeicher und Entscheidungszentrum den Menschen zum Menschen machen. Dort finden die komplexen Prozesse der Assoziationen und Umgestaltung von Informationen statt. Wissen hat viel mit Information zu tun, aber noch viel mehr mit Bewusstsein. Also was macht der Mensch auf diesem Planeten? Was tun wir in diesem fremden Umfeld? Dabei geht es gar nicht so sehr um das tief hinterfragte Woher und Wohin. Der Knackpunkt ist das Warum.

Informationen sind dazu da, dass man sie weitergibt. Die Inhalte herauszuarbeiten, ist nicht so einfach. Etwas Anderes als das eigene Ich ist vorhanden, es lässt sich spüren. Es ist das Übernatürliche. Das Individuum erfährt über sich, was es alles kann, nicht nur aufgrund seiner Talente, sondern gerade durch seinen Willen. Das „Ich will" ist die absolute Voraussetzung zum Bestehen in dieser Welt. Doch ist es nicht das letzte Wort. Das buchstabiert sich nicht mit „wie ich will", sondern „wie es kommt" und bestimmt jede Intuition und Kreativität. Die immer wieder durchlebte Erfahrung weiß, dass es oft anders kommt als man denkt. Viele erstaunliche

Karrieren, Errungenschaften und Erfindungen sind beredte Zeugnisse.

Die missachtete Erinnerung führt in den Teufelskreis der Verbitterung. Es gibt ein Mittel, das Missglückte wieder einzurenken: das Vertrauen. Es müsste ausreichen, um das Übernatürliche anzuerkennen und zwar bedingungslos. Wir befinden uns, so argumentiert die Psychologie, in unterschiedlichen Zuständen des Bewusstseins. Die Bewusstheit des Menschen ist sehr wichtig, sonst rennt er am eigenen Leben vorbei. Irgendwann einmal wird er auf die eigentliche Bewusstheit stoßen, sich dort befinden, wo sein Inneres zu wirken beginnt.

Es ist kein rein materieller Zustand mehr, wo es zum Austausch von Rückkoppelungen an Energie, Stoffen und Informationen kommt. Empfehlenswert ist, auf der Landebahn eines gut entwickelten Selbstvertrauens zu landen. Sicherlich gibt es Befindlichkeiten, von denen wir noch gar nichts wissen. Es wird wichtig sein, zu den eigenen Gegensätzen, zu dem, was uns zu zerreißen droht, ja zu sagen. Ist das die finale Bedeutung vom Kreuz der christlichen Religion? Es könnte sein, dass wir am falschen Dampfer sind, wenn wir der Meinung verfallen, dass das Göttliche uns den Sinn nicht eröffnen wollte. Jedenfalls aus uns heraus werden wir es nicht schaffen, die letzten Dinge zu begreifen.

Die philosophische Feinheit drückt sich im Emblem des Alpha und Omega aus. Auf diese Weise versuchten Philosophen immer schon das Absolute zu deuten. Die Aussage wird nicht leichter, aber subtiler mit dem Zitat aus der Bibel: das All ist nicht von Ihm geschaffen, sondern durch Ihn. Wer hat das alles, was wir vorfinden oder auch nicht sehen, geschaffen? Manche meinen, alles war einfach da. Hat es sich aus sich selbst konstruiert? Woraus? Und vor allem - nichts ist selbstverständlich.

Die Schöpfung enthüllt vieles. Sie verweist darauf, dass es das Unerklärliche gibt. Albert Einstein brachte es mit einem klaren Statement auf den Punkt: „Hinter allem steckt ein Orchesterdirigent". Einer, der den Menschen keineswegs an die Wand drängt. Sämtliche Beteiligte spielen im universalen Orchester freiwillig mit. Jedem Individuum ist es freigestellt, anzunehmen oder zu revoltieren. Kakophonie kommt auf, wenn Zerrissenheit und Diskordanz überhandnehmen.

Die Antworten sind vorhanden, sie wurden möglich gemacht. Ohne das Unsterbliche findet der Mensch keine Antworten. Wer ist er eigentlich, dass er an das Göttliche denken darf? Der Dauerauftrag ist zum eigenen Frieden der Person abgeschickt. Das innere System regeneriert sich und wird wieder augefbaut. Das Durchatmen erfolgt über die Erlösung. Die Provokation drückt sich durch den Frieden aller für alle aus. Wie stark reagieren wir auf den Weckruf? Wir hören ihn und können uns selbst nicht ignorieren. Daher erwarten wir das Besondere. Wir müssten nur die Art und Weise erkunden, wie der erwünschte Zustand erreicht werden kann.

Wie wirkt sich Befreiung aus? Wenn wir nur den fragmentarischen Teilen nachgehen, verfälschen wir die Fakten. Der Mensch macht ständig diese Erfahrung. Vielleicht verfügen wir doch alle über eine Art innerer Erleuchtung. Denn jedes menschliche Verhalten ist bedürfnisorientiert und will eine Zukunft schaffen. Sie wird ihre besondere Bedeutung haben. Nur wie werden die Bedürfnisse reguliert? Was ist Lebensgefühl und was bedeutet Seelenheil? Wie wollen wir Zukunft verkraften, wenn wir es nicht einmal mit der Gegenwart schaffen? Sobald wir das Seelische zu pflegen beginnen, beruhigt sich der Sturm im Wasserglas.

Der Mensch stellt mehr als seine Physis dar. Das hat er schon neun Monate, bevor er körperliche Gestalt annahm, durchexerziert. Er wird es wahrscheinlich wieder tun, wenn er den irdischen Körper verlassen wird. Diese Vorgänge reißen viel Geheimnisvolles auf. Wer sich mit dem Sein auseinandersetzt, stößt automatisch auf die Frage nach dem Sinn. Dieser trifft wiederum auf das Sein.

Dem denkenden Menschen bleibt die brennende Frage nicht erspart, was das Ganze soll, wer oder was er ist, wohin mit der Existenz? Die Verletzlichkeit wird ihm immer anhaften, die wird er nicht los. Aber er sehnt sich danach, das Unverfälschte zu erfassen. Nur stumpf zu reagieren, sich womöglich abzuschotten, wird ihn nicht auf Vordermann bringen. Er braucht die Nähe des Sinns. Ihn bloß zu erahnen, wird ihm schon viel geben. Irgendetwas wird wohl daraus werden. Es beruhigt. Die

Aussichten sind da.

Der Mensch macht sich auf den Weg, stochert herum und findet, wonach er suchte. Die Hoffnung weitet seinen Horizont. Befriedigung macht sich breit. Der Sinn bedeutet mehr als nur, dass das Vorhandensein des eigenen Ich zufriedengestellt wird. Worin liegt also der Sinn der menschlichen Fortpflanzung, der Liebe, des Bemühens, ja der Existenz? Beim kompletten Durchlaufen der Gedankenschleife finden wir uns plötzlich unweigerlich in der Thematik des Transzendenten. Darin liegt die Begründung des Seins. Dann kommt es auch zur intimen Erfahrung mit dem Übernatürlichen. Die Vernetzung wird dabei immer zwischen zwei ungleichen Strukturen erfolgen. Aber sie wird gewollt sein. Die Neugeburt wird zum Hauptthema des religiösen Menschen. Sie beruht auf der Versöhnung von Himmel und Erde.
Das Leben ist in den übernatürlichen Auftrag

hineingeschoben. Doch lässt sich das Göttliche nicht flehend bedrängen, wie es Esoteriker gerne tun, wenn sie Energien beschwören. Das funktioniert nicht. Der Modus des Hamsterrades eines ständig wiederkehrenden Kreislaufs ist nach religiösen Überlegungen ein „No-go". Das sich im Kreis-Drehen macht den Menschen verrückt.

Am Leiden können wir uns nicht vorbeimogeln. Das hat uns die unendliche Größe des Absoluten, als es nach christlichem Glauben in die entsetzlich auszuhaltende Kleinheit des Menschen gelangt ist, mit- und vorgelebt. Das Übernatürliche hat sich vor dem Menschen nicht versteckt. Was es sein könnte, muss sich der Mensch nicht vorstellen. Nein, es kommt auf ihn zu. Er sollte es in sich wirken lassen. Es ist die Unvollkommenheit, die Verzweiflung, das Negative, die Aussicht auf Krankheit, Leid und Tod, die den Menschen mürbe machen, nicht die Hoffnung. Pardon, aber das sei nun einmal so der

Lauf der Dinge, ist zu wenig, um Sinn zu erkennen. Auch der Kreislauf hat in seiner Bewegungsenergie Anfang und Ende. Zwei Alternativen bleiben übrig: die Resignation oder die Befreiung. Erstere lässt keine Zuversicht zu, die zweite ist erstrebenswert.

Der noch junge Mensch lehnt sich auf und verlangt vehement das Ende des Negativen. Er will nicht ständig an irgendein Übel erinnert werden. Er akzeptiert nicht, für etwas längst Vergangenes, wie es heißt, sühnen zu müssen, obwohl offensichtlich ist, dass das Verwerfliche immer noch am laufenden Band produziert wird. Man fällt rückwärts auf den Hintern. Auf Dauer wird das Halbwüchsige, also das Unfertige, nicht Recht behalten. Es kann dem Realen nicht entkommen. Die Strategie, aus der persönlichen Lähmung herauszukommen, zielt auf die Dynamik des Lebendigen ab. Sie setzt darauf, hoffen zu können. Im Talon jedes Individuums ist ein Stück Ratio versteckt.

Bei den einen gelingt das Anklicken der Erkenntnis, indem sie ihre Gefühle sensibilisieren, bei den anderen, indem sie rational an die Sache herangehen. In beiden Fällen sollte sich der Mensch nicht als Getriebener fühlen. Seine Entscheidungen werden immer seinem persönlichen Willen entsprechen. Der einzige Zwang, den es gibt, ist der zum freien Willen. Dem müssen sich alle stellen. Die Menschheit lässt sich nicht neu erfinden. Sie wird durch ihre Probleme durchtauchen müssen. Der Kick-off zum Sinn ist auch nicht wie ein Thrilling-Effekt inhaltlich begrenzt.

Die Biografie der Menschheit ist offensichtlich von viel Tränen getränkt. Das allmähliche Abflachen der temporären Glückskonzepte verweist auf Enttäuschung. Der Existenzschmerz ist allzu frustrierend. Doch es heißt, weitermachen, nichts sonst. Alle haben an ihren Erfahrungen zu arbeiten. Könnte es sein, dass wir existieren, nicht weil wir alles richtig gemacht haben, sondern weil wir Glück hatten oder weil es das Göttliche so wollte? Woran sollen wir uns erinnern? Jedenfalls sind wir imstande, den mentalen Zustand über die eigene Glaubensidentität selbst zu beeinflussen. Wir werden den Konsens mit der Wahrheit schon finden. Er ergibt sich aus der Expertise in den eigenen Angelegenheiten der Weltsicht. Er drückt unerbittlich seinen Stempel auf.

Die Glaubwürdigkeit des Transzendenten muss nicht erst ausfindig gemacht werden. Es gibt kein Gegenargument, das ihr standhält. Wir können verfolgen, wie die Kernstruktur der Welt sich bewegt. Sie tut es in eine bestimmte Richtung. Wahrheit ist nicht die bloße Ausprägung eines Zustandes, sie trifft die Richtigkeit der Existenz. Wahrheit muss nicht erst erfunden werden. Sie ist seit jeher vorhanden. Es gehört zur Natur des Menschen, ständig auf der Suche zu sein.

Wenn er auf das Neue neugierig ist, wird er nach dem Wissen um seine eigene Existenz Ausschau halten. Er verlangt nach dem Substanziellen, nämlich der Beziehung zu einem Gegenüber, in diesem Fall zum Übergeordneten.

Karl Rahner, einer der bedeutenden Theologen des 20. Jahrhunderts, definierte Glauben damit, „die Unbegreiflichkeit Gottes ein Leben lang durchzuhalten. Das Unauslotbare nennen wir Gott". Das Göttliche ist weder eine Einbildung noch eine Erfindung des Menschen. Dann könnten wir auch die Gelassenheit aufbringen, zuzugeben, dass wir nicht der Mittelpunkt des Sinns sind. Was wir haben, kommt nicht aus uns heraus. Der Mensch hat sich nicht selbst entworfen. Wer schildert dann das Was, Wie und Warum?

Fast schon abgedroschen wiederholt sich der Trend zum Widerstand gegen das Übergeordnete. Die Lage ist nicht furchterregend, aber ernst zu nehmen. Da ist das Angebot mit dem am Kreuz vergossenen Blut nicht zu übersehen. Die Frage spitzt sich zu: wer bist du Mensch? Was soll das alles mit dem Durchstehen der Mühen? Irgendetwas muss ja daraus gemacht werden. Es gelingt im Wechselspiel zwischen Ohnmacht und Perspektive. Letztere wird immer wertvoller. Die wichtigste Entscheidung trifft dann immer noch das Individuum selbst. Es ist regelrecht dazu aufgefordert, den ersten Schritt zu machen. Es ist aber nicht ganz allein auf sich gestellt.

Eine herausragende Choreographie hilft aus der Falle der Unkenntnis heraus. Sie bestimmt, dass der Kreuzestod des Jesus Christus sich nicht relativieren lässt. Er kann nicht aus dem Weg geräumt werden, er ist absolut da. Er ist nicht bloß ein historisches Ereignis, sondern Ausdruck einer wesentlichen Symbolik. Noch mehr, wer wäre denn von sich aus auf den Gedanken gekommen, dass Gott seinen Sohn, also sich selbst, aufopfert, damit der Mensch leben kann? Wohl niemand. Es sprengt die menschliche Vorstellungskraft. Das Christusverständnis ist im menschlichen Sein vernetzt.

Im Zentrum des Seins steht also die Allmacht. Ob sie despotisch oder antidespotisch ist, hat niemanden zu interessieren, es verpufft. Darum ist es uninteressant, ob damit Allwissenheit, Allgegenwart oder Alldurchsetzbarkeit gemeint ist. Für den Menschen ist einzig und allein entscheidend, dass sie ihm hilft. Sie lässt das Individuum nicht allein. In dieser Beziehung kommt es zu einem ständigen Austausch. Das Göttliche hat aufgezeigt, dass es sich das Menschsein bewahrte.

In Analogie zu den Naturgesetzen erscheint nach dem Nebel die Sonne. Das Licht ist unausweichlich. Die menschliche Schwachheit wird von der Sehnsucht und von der Erfüllung beseitigt. Die Wege sind erkennbar. Dem Menschen wurde das Stück Freiheit gegeben, selbst zu entscheiden, wofür er einsteht, für das Übernatürliche oder für sich selbst als das Größte. In diese diabolische Falle ist er schon einmal, oder gar ständig, hineingetappt. Ihre magnetische Anziehungskraft ist groß. Wir wissen, dass wir von Zukunft nicht ausgenommen sind. Als Pessimisten in die Thematik hineinzugehen, würde prinzipiell keinen positiven Output liefern. Wer auf die Zukunft positiv blickt, ist auf das Vertrauen angewiesen. Denn, ob es draußen matschig ist, wird niemand persönlich beeinflussen können. Wenn die äußeren Umstände dann so sind, wie sie sind, lassen sich immer noch die nötigen Konsequenzen ziehen.

3. EFFIZIENZ DES ANGEBOTS

Es gab Zeiten, als im westlichen Kulturkreis der Einstieg ins Leben mit Geburt plus Taufe begann, bevor es in die Ausbildung, Familie und Beruf ging. Inzwischen wurde diese Entwicklung unterbrochen, ja geradezu zerrissen. Aber nicht überall. Die Wurzeln waren weltweit zu kräftig, als dass sich das Beständige nicht hätte entwickeln können. In der Ausweglosigkeit der Endlichkeit und der eigenen Beschränktheit wird es eben immer Menschen geben, die auf die Option des Vertrauens nicht verzichten wollen. Die Freiheit zu wählen, kann man nicht ausreizen. Die Entscheidung wird fällig, so wie man vor der Auswahl verschiedener Wege oder unterschiedlicher Verkehrsmittel steht.

Testen wir einmal diejenigen, die sich Christen nennen. Ihre Architektur basiert auf der Taufe, einem profunden

Akt des Eintauchens in die Geheimnisse zwischen Tod und Leben, einem eigentlich sehr pragmatischen Ziel. Was tun sie dafür, dass sie eine Gemeinschaft bilden? Wenn sie sich für das eigene Weltbild nicht einsetzen, wird sich im Aufwind ihres Glaubens so gut wie nichts Neues ergeben. Das ist schon fast ein physikalisches Gesetz. Was bringt es, am eigenen Fundament zu sägen?

Die Teleologie, also der Umgang mit Ziel und Zweck, wäre ad absurdum geführt. Wir werden es nicht ändern können, dass es das Nachdenken gibt. Und das ist gut so. Es ist die Triebfeder, den Sinn zu suchen und es ist der Anstoß zur Freiheit. Ein Narr, der das Nachdenken nicht ernst nimmt. Über das Leben kann man aber nicht nur nachdenken, es muss auch in die Erfahrung hineinkommen. Wie treten wir in seinen Strukturen auf? Die Unsicherheit hat ihren Grund in der Verwirrung, worum es überhaupt geht, in der Dissonanz der eigenen

Glaubensrichtung und in der Unschärfe über den Grad des Vertrauens. Was ist,
wenn wir über diese Dinge und ihre Entwicklungen nicht mehr nachdenken?

Der Mensch, materialistisch als Präzisions-Maschine gesehen, hat seine Bestandteile mit ihren unzähligen Funktionsweisen. Sie hat auch so etwas wie ein Ablaufdatum. Ist sie bloß eine Konstruktion, die ein Bein vor das andere setzen und auch schneller werden kann? ein Roboter, der noch viele andere Aufgaben erfüllt? Dann könnte es sein, dass es bloß ein Nebenprodukt der Evolution ist. Das widerspricht aber der Tatsache, dass es imstande ist, nachzudenken und zu entscheiden.

Die Regeln der Evolution weisen auf vieles hin, aber sie reichen allein nicht aus, den Sinn zu veranschaulichen. Der Mensch kann ohne Zukunft nicht wirklich leben. Ohne Glauben bleibt das Subjekt seelenlos. Ist also der

Mensch nur ein Abnutzungs-Artikel, ein Verwesungs-Produkt, das der Zersetzung ausgesetzt ist? Eine Art Ablauf-Ware? Die bewusste Abwägung bleibt ein profunder Akt im menschlichen Leben. Es wäre zu erwarten, dass sich das einzelne Individuum für die essenziellen Werte engagiert.

Es geht auch um die Solidarität mit dem eigenen Gewissen. Ein Zaudern verschiebt die Problematik nur auf die lange Bank. Unnützes Gezänk darüber, wie etwas interpretiert werden soll, bremst den Drang nach vorne. Die Motive zu leben, könnten verloren gehen. Es gibt ja die Ansicht, wir bräuchten sie nicht, wir feiern ja uns selbst. Doch irgendwo sind die Absichten niedergelegt. Sie geben Aufschluss über die Zusammenhänge unseres Wissens. Als die Schriften oder die mündliche Überlieferung weitergegeben wurden, waren sie authentische Instrumentarien der Kommunikation. Sie weisen in eine bestimmte Richtung, wenn auf den

Urgrund geschaut wird. Und der ist aus christlicher Sicht personalisiert. Der Logos ist Fleisch, nicht Buch geworden, heißt es in der haarscharfen Interpretation der Theologie. „Geht in die Welt und berichtet, was ihr seht." Zu viel wird von Strukturen und zu wenig vom Inhalt gesprochen.

Die Selbst-Kontrolle beginnt im Ansatz mit einem Beziehungs-Check. Gegen all die Ohnmacht und Zerbrechlichkeit des Menschen besteht etwas sehr Wichtiges: die Beziehungsfähigkeit. Beziehung zu wem? Allem voran zum Transzendenten. Transzendenz heißt, die Grenzen der Erfahrung zu überschreiten. Das sinnlich Wahrnehmbare wird überholt. Dann finden wir die ursächliche Realität. Sie reicht über die wahrnehmbare Szenerie hinaus.

Wie verhalten wir uns in der modernen Arena, die zum Beispiel imstande ist, 3D-Bilder mit Sound und taktilem

Feedback zu kombinieren? Oder was denken wir uns, wenn sich die Astrophysik mit den ‚Schwarzen Löchern' beschäftigt, die immerhin laut Forschung 70 Prozent des Universums ausmachen? Die letzten Hypothesen der miteinander verkoppelten Quanten- und Astrophysik gehen so weit, dass sie nicht mehr die dreidimensionale, sondern eine zweidimensionale Version unserer Wirklichkeit annehmen. Sie sei quasi als Back-up auf einer zweidimensionalen Oberfläche am Rande des Universums gespeichert. Ähnliches hat bereits Platon in der Antike, zwar nicht physikalisch, dafür philosophisch mit seinem Höhlengleichnis dargestellt. Neuerdings deutet die Naturwissenschaft das, was wir sind, was wir erleben, als eine Projektion. Wie vielseitig ist doch die menschliche Interpretation der Dinge.

Manche Physiker debattieren das Universum als ein gigantisches Hologramm, das den Menschen in eine computergenerierten Matrix stellt, die ja Unsterblichkeit nicht ausschließt, da Computerprogramme sich wiederholen lassen. Die Simulationen der Naturwissenschaft bringen jedoch in ihrer Selbsterkenntnis keine definitiven Schlussfolgerungen, schon gar nicht Lösungen. Die Naturgesetze werden nicht ausreichen, die Menschheit zusammenzuhalten. Wissenschaft kann experimentell Zustände erzeugen, aber keinen Geist, kein Leben produzieren.

Die Ratio empfiehlt, aus voreilig selbst konstruierten Annahmen auszusteigen. Dies entspricht auch dem Falsifikationsprinzip des Philosophen Karl Popper. Er zieht den Schluss, dass Wissenschaft ein Prozess kontinuierlichen Fortschritts ist, in dem unrichtige Hypothesen und Theorien früher oder später entdeckt und ausgeschieden oder durch bessere Theorien ersetzt werden. Absolute Begründungen von Wahrheiten gibt es in der Wissenschaft nicht. Das menschliche Wissen besteht immer nur aus Vermutungen, die Wahrheit ist materiell nicht als solche erkennbar. Trotzdem will das menschliche Streben immer gestillt werden, vor allem wenn es um den Sinn geht. Das stetige Suchen befriedigt früher oder später jedwede Anstrengung, jedoch nicht bei allen. Zielrichtung ist die Erfüllung. Wir zeigen uns erschüttert, wenn die Allegorie am Sachverhalt vorbeischlittert.

An diesem Punkt setzt das Metaphysische ein. Die Tuchfühlung mit dem Immateriellen geht nicht vom Menschen aus, sie geschieht von außen. Von etwas Unbeschreiblichen kommt die Erkenntnis herein. Was folgt, hat dann das Individuum selbst zu verantworten. Reagiert es überhaupt nicht, verkürzt es sich selbstverschuldet in Atrophie, in die Verkümmerung der geistigen Sensorik. Es entsteht ideelle Gefühllosigkeit und mentale Apathie, die wohl beide keinen persönlichen Komfort anbieten.

Wenn soundso alles geschehen mag, egal ob man will oder nicht, ist gähnende Leere die einzige Folgerung. Die Ahnungslosigkeit im Geistigen wirkt sich fatal aus. Sie erinnert an den Frosch, der ins lauwarme Wasser geworfen, sich wohlfühlt bis er unbekümmert in dem allmählich zum Kochen gebrachten Wasser umkommt. Er merkt es gar nicht. Nicht anders ergeht es denjenigen, die ins Bassin der Fragen des Seins geworfen, aus dumpfer Sorglosigkeit allmählich untergehen.

Vielleicht ist das Göttliche in das irdische Leben auch deswegen eingetreten, um aufzuzeigen, dass die Realität nichts Illusionäres ist. Gläubige Christen setzen auf das Bekenntnis zur Taufe, einem Ritus der Reinigung. Man kann darin den Sinn des Menschen sehen, den Willen des Übernatürlichen zu erkennen. Mit der Taufe wird keine Lizenz erteilt, alles nach dem eigenen Willen frei floaten zu lassen. Deswegen ist

Kirche zwar als Glaubensinstanz universell zugänglich, aber sie wird sich nicht durchsetzen, wenn sie sich dem weltlichen Tun angleicht. So steht es geschrieben.

Für die Politik bleibt Totalitarismus ein Unding. Das wurde in der Geschichte zur Genüge erfahren. Selbst dem Prinzip Demokratie wird der Boden entzogen, wenn diese sich für unabdingbar hielte. Da lauern im Untergrund ungeahnt selbstzerstörerische Kräfte. Anders beim Verhältnis zum Übernatürlichen: dort kann nur die absolute Vollständigkeit das einzig richtige Kriterium sein, alles andere wäre Unsinn.

Ob man im Straßenverkehr die Fahrspur links oder rechts definiert, ist eine Sache der gesellschaftlichen Übereinkunft und der daraus resultierenden Gewohnheit. Diese bleibt relativ. Nicht so in der Wirklichkeit der Transzendenz. Wenn der Mensch sich an das Absolute bindet, werden die weltlichen

Regularien zwar nicht aufgehoben aber im Endzweck belanglos. Das höchste Ziel des Strebens ist für alle fundamental notwendig. Selbst Moral und Ethik haben sich dem unterzuordnen. Niemand ist verpflichtet, in Fragen des Glaubens vor dem möglichen Psychoterror einer wahllos irritierenden Mehrheit zu kapitulieren. Das Unausgewogene zerrt hin und her. Zur Aufgabe der religiösen Philosophie gehört es, fehl geleiteten Soziologien entgegen zu steuern.

Etwas apodiktisch, also beweiskräftig und demonstrierbar meinen zu wollen, ist vor dem Absoluten lächerlich. Jedes Meinen und Dafürhalten hebt sich selbst aus den Angeln. Es müssen nicht gleich Verschwörungstheorien etwa im Donald-Trump-Style sein, die mehr als nur zum Kopfschütteln provozieren. Jeder Gegenbeweis gegen Verschwörungstheorien ist schon Teil des Verschwörungswerks. Wissenschaft kommt dort nicht an.

Das Wissen ist ein bestimmender Faktor im menschlichen Leben, auch wenn es nur der im Augenblick verfügbare Bestand von Theorien ist. Deswegen ist es in seinen Ergebnissen nur relativ. Es wird immer auf Grenzen, Widersprüche und Umformulierung stoßen. Wie wollen wir denken, wenn wir kein Wissen haben? Der gesunde Menschenverstand ist schon wichtig, man braucht aber auch das Wissen, um authentisch zu sein Es kommt auf den qualitativen Zustand des Wissens an, wenn es von Stereotypen, Vorurteilen oder Negierungen durchzogen ist. Es ist gut, viel zu wissen und gar nicht gut, viel zu viel zu wissen. Was weiß nun die Wissensgesellschaft wirklich?

Wissenschaft ist dazu da, verlässliche Daten zu liefern und Fakten von Mythen zu unterscheiden. Sie erledigt den rationalen Streit um das beste Ergebnis. Sie bleibt ein Hin- und Herpendeln zwischen Ignoranz und

Korrektur. Nur tut sie sich oft schwer, Tatsachen zu beweisen. Es gibt Erkenntnisse, auch wissenschaftliche, die kann man nicht so einfach abtun. Die Masse der Menschen, inklusive vieler Wissenschaftler ist oft überfordert. Die Menschheit wird die Kurven der Dynamik wissenschaftlichen Arbeitens folgerichtig mitnehmen. Die Denk-Eliten, die in schwindelerregendem Tempo hantieren, sollten wenigstens eine ungefähre Ahnung von dem haben, was die Werte-Komponenten der geistigen Welt ausmachen. Wollen wir Werte in Frage stellen?

Was macht Wissenschaft aus? Sie erkundet neues Wissen, überprüft es und korrigiert sie es nötigenfalls. Sie verhält sich zum Geschöpf als Instrument wie das Geschöpf zu sich selbst. Die Widerstandsfähigkeit des Menschen erhält ihn lebendig. Das Erforschen wird erleichtert, indem man gemeinsame Definitionen errichtet. Die Wissenschaftlichkeit bloß ein irdisch Ding?

Schon allein der Weg vom ersten Automobil zum autonomen Fahren war abenteuerlich und gesellschaftsprägend genug. Wann werden wir Sympathie-Chips implantieren?

Vielleicht wird man irgendwann über das komplexe Netz aus dunkler Materie und Galaxien mehr wissen, heute weiß man darüber so gut wie gar nichts, sagen die Experten selbst. Hinweise auf diese mysteriöse Substanz gibt es schon viele. Wissenschaft geht immer vom Slogan aus, „Soweit wir das heute wissen". Als ursprünglich ein winziger Punkt Energie da war, verdichtete er sich mit rasender Energie in einem Millionstel Millionstel Milliardsten cm. Doch wo kam der Punkt her? Wissenschaft gibt keine endgültigen Antworten, schafft aber zusätzliche Möglichkeiten, über den tieferen Sinn nachzudenken.

Auf der kosmischen Seite berichtet die Wissenschaft von

der Ausbreitung und vom Fall des Universums, auf dem Gegenpol der Betrachtungen, im Mini-Sektor, beschäftigt sie sich mit dem Auftreten von Nahtoderlebnissen und korreliert die Neurobiologie mit der Quantenphysik. Und dann verbindet noch das quantenphysikalische Wissen den Makro-Kosmos mit dem Mikrokosmos. Ein gewaltiges Netzwerk wissenschaftlicher Erkenntnisse tut sich dem menschlichen Durst nach Wissen auf.

Mit der Religion hat Wissenschaft gemeinsam, das Irrationale auszuschalten, um Erkenntnis zu gewinnen. Der Unterschied in der Handlungsweise besteht darin, dass sich Forschung andauernd modifiziert, bis sich ein fester Kern des Wissens etabliert hat. Die Religion bleibt von vornherein einheitlich ursachenbegründet. Die Wissenschaften ändern sich. Ein Biowissenschaftler drückte es einmal aus, dass wir sie einmal nicht mehr begreifen werden, sie sind dann nur mehr mathematische Gleichungen. Wissenschaft kann Zweck und Sinn nicht erklären. Gravitation und Wechselwirkungen sind erst nach der Asymmetrie entstanden. Die Frage, warum das so, ist bleibt unbeantwortet. Können wir jemals solche Theorien aufstellen und experimentell nachempfinden?

Was ist Bewusstheit? Wir folgern schnell, wer sind wir und stoßen auf, was ist Leben? Da Wissen nicht gleich Information ist, nehmen wir entweder die Informationen als nüchterne Fakten hin oder stürzen uns auf eine andere Optik, das Leben zu betrachten. Was macht es mit unserem Gehirn? Die Wissenschaft selbst stellt fest, dass das Sehen nicht Wirklichkeit, sondern aus Impulsen in unserem Gehirn zusammengesetzt ist. Wissenschaft arbeitet also mit Codes, Religion mit Bildern und Gedanken. In den Kabeln der TV-Technologien arbeiten Impulse, nicht die Realität. Auf äußerst rutschigem Terrain befindet sich

Wissenschaft, wenn nicht mehr der Mensch, sondern die Wissenschaft für uns zu denken beginnt. Sie beginnt dann für den Menschen sehr schlüpfrig zu werden. Auf diesem Altar würde der Mensch sein eigenes Ich opfern.

Die wichtigste Ingredienz des Wissens wird wohl die Demut sein. Sie entspricht am ehesten dem zu ihr parallel laufenden Mut, der sich in das neue Unbekannte hineinwagt. Aus Demut, nicht durch blindwütiges Hineinschießen entstehen die wertvollsten Erkenntnisse, sowohl in der Wissenschaft als auch in der Philosophie. Störend wirkt die Darbietung der Ausreden, also das Vorbeireden an der Sache. Schließlich kommen wir drauf, dass die beste Faktenorientierung nach wie vor im Dialog, vielleicht sogar im Streitgespräch entsteht. Der Austausch von Argumenten verlangt auch ein Zuhören, sonst schaffen sie nur irrationale Dogmen.

Ausgewählte Fakten erweisen sich hinterher oft als zwei

Teile einer Realität, die man gerne für sich beanspruchen möchte. Dann lodert plötzlich irgendeine Ahnung auf und man nähert sich der Wahrheit. Es gibt natürlich auch noch Dinge von denen wir nichts wissen, weil wir nicht wissen, dass wir es nicht wissen. Doch unumstößlich ist das Prinzip der Wahrheit. Und gerade mit dem will sich der Mensch am wenigsten auseinandersetzen, eigentlich sonderbar. „Viel Denken, nicht viel Wissen soll man pflegen“, sagte schon der griechische Philosoph Demokrit.

4. SHOW ODER RELEVANZ

Die Einstellung, das Sein genießen zu wollen, ist subjektiv konfiguriert. Wir stellen aus verschiedenen Typusvarianten unser individuelles Modell zusammen. Allerdings gelebt wird primär, um zu hören. Es war wohl, das erste, was wir taten, schon im Mutterleib. Und es ist nicht immer ein Gehörorgan dazu notwendig, es gibt auch das innere Hören. Wahrnehmung und Eindrücke standen am Anfang unseres Bewusstseins. Zuhören ist kein Verzicht, eher ein Gewinn. Vieles wird erkannt und daraufhin anders organisiert oder anders gestaltet. Mit dem Eigensinn der Überheblichkeit kommt man in der Erkenntnis nicht weit.

Wie kommen wir gegen die Trägheit der Einbildung von Sinnlosigkeit an? Sind wir einmal von der Sicht auf Absurdität ausgelaugt, bietet die Rückkehr ins Sinnvolle den Ausweg. Entweder wir finden ins Leben zurück oder wir befinden uns definitiv im geistigen Notstand. Wenn alles nicht notwendig wäre, dann gäbe es wirklich das Nichts, die absolute Leere. Das Sein ist existent, glauben die einen. Sie sagen, was war und was ist, ist einfach notwendig. Deswegen ist es da. Die anderen negieren es. Keinen Respekt vor der Zukunft zu haben, ist eine krankmachende Überheblichkeit. Unser Bewusstsein hängt nun einmal elementar an der Zukunft.

Der Mathematiker und Philosoph Blaise Pascal hinterfragt, warum alles begrenzt ist. Er wundert sich nicht, dass die Antwort im Unbegrenzten liegt. Doch ihm ist das Sein immer erstrebenswerter als das Nichtsein. Es wird zum unumstößlichen Prinzip. Was fasziniert an der Tatsache des Seins? Was kommt auf uns zu? Das Premium, die hohe Wertigkeit, zieht an. Es ist mit der Erwartung verbunden, nicht stecken zu bleiben, sondern nach vorne zu kommen.

Die Pro und Contras laufen hin und her. Wann sind wir in der Lage, zu erkennen? Hoffentlich nicht dann, wenn es zu spät ist. Setzen wir uns wirklich bewusst dem Risiko eines leeren Durchlaufens aus? Zu Beginn jedes Lebenslaufs ist noch nicht viel an Weltsicht untermauert. Die Reifezeit steht erst bevor. Was sich ein ganzes Leben lang entwickelt, ist der persönliche Mind-Set, die Identität der Person.

Wir erfahren, wie das Leben in der Gemeinschaft, egal ob in der Familie oder in einer sonst organisierten Form, viel für die Prägung der Persönlichkeit ausmacht. Diese Bindungen formen den Zugang zu den übergeordneten Ideen. Keine weltliche Macht kann dem Individuum einen solchen Zugang versperren, auch nicht durch Abschreckung mit den Verschwörungstheorien modernen Maßstabs. die als Killer ohne jede Warnung auftreten. Fühlen wir uns gar nicht bedroht oder betroffen?

Erwartungen werden vermittelt. Wie erhalten wir Kenntnis vom Neuen und Wichtigen? Die Szenerie wird aufbereitet. Was man nicht persönlich sieht, kann man hören, zumindest aus der Geschichte. Das Paket des Wahrgenommenen lässt sich öffnen und man hört nicht nur auf irgendetwas, sondern auf das Essenzielle. Dies gelingt, wenn bestimmte Vorgänge zusammenwirken. Vorläufig spielen sie sich im Spektrum von Raum und Zeit ab. So kam das Glauben in Bewegung.

Auf der Zeitachse begann vor 2000 Jahren die Kirche der Christenheit sich zu formen. Die Anhänger zum Christusbekenntnis nannten und nennen sich Christen. Die Gesamtschau der Kirche ist auf zwei Bündnisse mit dem Übernatürlichen fokussiert. Sie sind im so bezeichneten ersten und zweiten Testament aufgezeichnet. Die Vorläuferin der katholischen Kirche war das Judentum als der erste monotheistische Glaube. In weiterer Folge ergab sich, dass der Mensch immer noch zu wenig über das Wesen des Göttlichen und seiner Botschaft wusste. Die Übernatur präsentierte sich dem Menschen als Mensch, um sich ihm mitzuteilen. Er wurde schon früh als der Messias, als der Christus angekündigt.

Das Realsymbol der christlichen Gemeinschaft ist die Taufe. Da Kirche sich in der Geborgenheit des Übernatürlichen fühlt, ist sie mit irdischen Maßstäben nicht zu bewerten. Jener Jesus Christus hat die Kirche eingesetzt, obwohl sie immer schon Gefahr lief, in Streit und Unzulänglichkeit hinein zu stolpern. Die Beteiligten wissen sich definitiv nicht im Namen einer Theologie, sondern im Setting einer göttlichen Ordnung getauft. Sie wird von der göttlichen Person erfüllt. Die Vorgabe, dass alle Menschen, ob Gläubige, Anders-Gläubige oder Nicht-Gläubige durch den Kreuzestod des Jesus Christus angesprochen sind, nimmt nichts von der Funktionalität der Taufe zurück. Ihr Magnetfeld ist universal.

Wenn Gewissheiten von vielen Seiten angegriffen werden, entsteht Unsicherheit. Bereits die Philosophen des alten Griechenland bekräftigten recht eindrucksvoll, dass es nichts bringt, sich mit dem Nicht-Seienden zu beschäftigen. Wer dies tut, dem schrumpft der Spielraum des Sinns genauso, wie wenn er nichts täte. Soll das Leben im Nichts verdunsten? Da greift die Kapazität des Taufens ein. Sie ist Programm und erhebt den Anspruch auf Erkenntnis. Sie fordert dazu heraus, auf den übernatürlichen Willen einzugehen. Sie will gelebt werden, sonst bleibt sie bloß eine hohle Prämisse. Leugneten wir ihre Bedeutung, könnten wir die Schwelle in eine andere Dimension nicht überschreiten. Das eigene Sein, damit auch die persönliche Sinnhaftigkeit, wäre in Frage gestellt. Prinzipiell ist sie gegeben, sie wird nur allzu gerne abgestoßen.

Der große Stoff ist klar erkennbar. Der Mensch setzt sich zwingend damit auseinander, wie das Übernatürliche wohl ist. Die Neugierigen fahren zunächst auf die großen Kreise ab, später werden die Fragen enger geschnürt, um abschließend wieder das Große herauszuziehen. Wie erreichen wir die Kern-Themen der Existenz? Das Sein beschäftigt nun einmal den denkenden Menschen. Es gehört zu seiner DNA des Geistes. Allein die Tatsache, dass wir imstande sind zu denken, animiert dazu, uns selbst auch ein bisschen anders zu sehen.

Wer gibt die Impulse zur Sinnsuche? Wozu ist all das gut, das Universum, die Erde, die Emotionen, die Überlegungen? Wohl kaum zum allgemeinen Scheitern. Die Norm heißt Weltgeschehen. Ihr Gehalt muss Sinn haben, jeder Widerspruch zum Sinn ist Unsinn. Die Negation des Ganzen ist das Nichts. Wir selbst erleben den schlüssigen Beweis, dass das Nichts Illusion ist.

Die Opponenten werden argumentieren, Leben wäre Unsinn. Und wiederum stehen wir persönlich vor dem Algorithmus der Entscheidung zwischen 0 und 1. Er ist durchaus verständlich, denn der Widerspruch liegt zwischen Liebe und Feindseligkeit. Es liegt an uns, wem wir uns zugehörig fühlen. Der Leitsatz, dass der Mensch nicht allein gelassen ist, reflektiert dann entweder eine Suggestion oder eine frohe Botschaft. Das Nichts ist jedenfalls vom Sinn ausgeschlossen.

5. AKTIONSFELDER

In welchem Umfeld agiert Kirche? Die Trennung vom Staat ist eine historisch gewachsene Auflage. Eine Abgrenzung zur Religion ist keineswegs widersprüchlich, heißt es doch auch in der Bibel: „Gebt dem Kaiser, was des Kaisers ist und Gott, was Gottes ist“, also was dem Weltlichen und dem Geistigen jeweils zusteht. Trotzdem bleibt der Umgang mit dem Geistigen eine Notwendigkeit, die den Menschen ganzheitlich umschließt. Diese Norm kann niemand ausklammern.

Religion lässt sich zwar vom Staat, nicht aber von der Zivilgesellschaft trennen. Kann sie in die Privatsphäre abgeschoben werden? Klar, dass das ‚Religionisieren‘ von Politik inadäquat ist, ja sogar unerwünscht. Dennoch darf sich das Empfinden für die Rolle des Geistes im menschlichen Zusammenleben nicht verlieren. Zivilgesellschaften formen Leitkulturen. Die Grundrechte und Werte sind nicht so aus heiterem Himmel gefallen, oder wie es die Theologie herausstreicht: das Glauben ist zwar etwas sehr Persönliches, aber keineswegs nur Privatsache.

Religion stellt nichts Zweitrangiges dar, das Übernatürliche bleibt der Grundprinzip des Seins. Sie ist keine Ideengeschichte, kann aber als Grundlage für Werteideen wie etwa für Menschenrechte genommen werden. Das Wertesystem verlangt die bewusste individuelle und gemeinschaftliche Verantwortung. Der Mensch hat ein Anrecht darauf, sich geistig zu entfalten. Die Menschenwürde und die Religionsfreiheit zählen zu den Menschenrechten. In ihnen liegt der Anspruch auf Gesellschaft, von der die Rahmenbedingungen des Zusammenlebens ausgehen. Was wird die Menschheit zu ihrer Entwicklung beitragen?

Zu welcher Vorgangsweise tendieren wir? Wie ist eine Einstellung einzuschätzen, in der das Übernatürliche zwar nicht geleugnet wird, aber die Bereitschaft zur transzendenten Kontaktaufnahme fehlt? „Der Mensch ist der Weg der Kirche" war der Aufruf des Jahrtausend-Papstes der Neuzeit, Johannes Paul II., als er betonte „Es gehe darum, den Völkern nicht ‚mehr Haben', sondern ‚mehr Sein' durch das Evangelium" anzubieten. Kirche wird als Stützpunkt benötigt, um das Übernatürliche zu erleben. Sie spricht von der Gegenwart Gottes.

Bisweilen, jedoch nicht überall, ist Kirche zu einer Gemeinschaft von Minoritäten geworden. Dies hat nicht nur traurige Facetten. Kirche löst sich dadurch leichter vom apparatehaften Schema einer religiösen Gemeinschaft, die sich zur reinen Folklore verformt. Die Kirche hat in ihrer Geschichte oft genug miterlebt, dass Versuch und Irrtum zum Leben dazu gehören. Auch ihre intimsten Mitglieder sind nicht davor gefeit, Schuld auf sich zu laden. Trotz allem bleibt ihr das Alleinstellungs-Merkmal der Berührung mit dem Transzendenten. Kirche kann diese Bindung pflegen, ohne dabei die irdische Begrenztheit zu verleugnen.

So wie jedes spezifische Leben auf der Erde, wird auch Geschichte ein Ende haben. Kirche erfindet nicht die Endlichkeit, sie bearbeitet sie lediglich im Blick auf das Unendliche. Die Funktion der Kirche ist laut Zeitzeugen von jenem Messias eingerichtet worden, der sie über die Inhalte belehrte. Wenn er über allen Dingen der Welt steht, wird das angenommen oder nicht. Wie auch immer, das Göttliche bildet nicht die Spitze der Pyramide. Es kann gar nicht zu ihr gehören, es steht darüber. Die Christologie sieht Gott nicht am höchsten Punkt, sondern im Zentrum, um das sich alles bewegt. Dies erfolgt aber sicherlich nicht als Einheitsbrei. Mit dieser Deutung gibt es auch niemanden, der in die letzte Reihe gesetzt wird. Gleichzeitig wird klar und deutlich ausgedrückt, dass der Mangel an Ehrfurcht gegenüber der Allmacht nicht verziehen wird. Eine radikale Umdeutung der christlichen Axiome würde diese Ehrfurcht stören.

Christentum ist kein Selbstzweck, sondern eine Ressource, die der Menschheit anvertraut worden ist. Die ersten Protagonisten der Kirche waren zwölf Gefolgsleute, Apostel genannt. Sie hätten wahrscheinlich den Leitgedanken zum Glauben verpasst, wären sie von Natur aus Superhelden gewesen. Aus der kleinen Schar wurde in der Folge eine große Gemeinschaft. Die Ur-Christen gründeten Gemeinden und verbreiteten ihre Riten. Im römischen Imperium fand diese Strömung vorerst keinen Anklang. Im Gegenteil, sie wurde diskriminiert. Christen wurden brutal verfolgt. Doch zehn Jahre massiver Verfolgung vermochten sie nicht zu vernichten. Die Christenheit breitete sich weiter aus.

Kirche ist, wie es ihre Geschichte ausdrückt, aus spezifischen Kraftquellen hervorgegangen. Diese kristallisierten sich im Charisma der Sakramente zu Heilszeichen. Die Verbindung des geistigen Potenzials mit der übernatürlichen Welt erzielt eine beispiellose Wirkung. Die Glaubenszeugnisse haben sich durch zweitausend Jahre hindurch fortentwickelt. Immer wieder bewiesen ihre Verfechter ein spezifisches Engagement dort zu antworten, wo die Frage nach dem übernatürlichen Prinzip aufbricht. Das biblische Gleichnis des Sämanns, der auf Zuversicht baut, setzte sich durch.

Die Verkündigung war nicht vergebens. Sie stellte das Spezifikum dar, wie aus dem scheinbaren Nichts etwas Großes gestaltet wird. Die irdische Akzeptanz fordert dazu heraus, den Weg in Geduld weiterzugehen. Diese Bestätigung benötigt der Mensch, will er statt nach hinten ausweichen, nach vorne schauen. Entscheidend ist, was sich am Ende ereignet.

Hat sich die Kirche im Laufe der Geschichte von ihren eigenen Grundaussagen und damit von ihrer Aufgabe entfernt? Sie würde versagen, wenn sie den Anschluss an die künftigen Generationen versäumte. Ihr Wert ist dort auffällig, wo sie für die Inhalte des Glaubens eintritt. Es waren nicht immer angenehme Episoden ihres Engagements. Doch gerade wo Verfolgung stattfindet, lebt die Hoffnung noch viel intensiver.

Vor nicht allzu langer Zeit nahmen in Kambodscha gläubige Menschen tausend Kilometer lange Märsche auf sich, um zu einem Gottesdienst zu gelangen. Andere opferten ihr Leben für ihre Überzeugung. Kirche zeigt sich in einer Zeit präsent, in der es mehr Märtyrer gibt als je zuvor. Die Statistik von Amnesty International spricht von hunderten Millionen Menschen weltweit, die wegen ihres Glaubens verfolgt werden. Sie erleiden

Folter, werden in Arbeitslager verbannt, oder ihre Familien werden gänzlich ausgerottet.
Der Mensch kann auf dieser Erde viel bewirken, zum Guten und zum Schlechten. Es tut gut, ein Ziel hoch über der Finsternis hinausragen zu sehen. Inzwischen hat die geographische Verteilung des christlichen Bekenntnisses rochiert. Zu Beginn des 20. Jahrhunderts gab es außerhalb von Europa nur 25 % der Katholiken. Heute sind nur mehr 25 % der Europäer überzeugte Katholiken, sagt die Statistik. Die Zustände im geistigen Europa sind angeknackst. Trotzdem wächst das Christentum als Weltkirche.

Ein Bischof der Orthodoxie meinte zu diesem Thema, dass die Kirche des angehenden dritten Jahrtausends die am meisten verfolgte sei. Es gehe ihr aber inhaltlich nicht dort schlecht, wo sie anfänglich Minderheit war. In Europa fristet sie momentan ein schwer durchschaubares Dasein. Rein gesellschaftlich ist dieser

Umstand bedauerlich, da Kirche als eine Solidaritätsgemeinschaft über den singulären Interessen steht. Sie ist der Raum, wo sich die Antipoden von Individuellem und Gesellschaftlichem vereinen. Die religiösen Interessen werden unterschiedlich in Anspruch genommen, aber sie gehören nach wie vor der Gemeinschaft. Es macht doch keinen Sinn, Geisteshaltungen für sich allein zu leben.

Das religiöse Bewusstsein in Europa schwächelt offensichtlich. Warum vermindert sich dort das Interesse an Kirche? Liegt es am geringen Vertrauen in die Institution? Oder hat sie sich zu sehr auf Moralin kapriziert, um dann selbst hinzufallen? Sicherlich sind krasse Zeit-Skandale aufzuzählen, die sich aber generell in einem Mainstream über die ganze Gesellschaft erstrecken. Davor ist auch eine religiöse Gemeinschaft nicht gefeit. Sexueller Missbrauch ist ein beschämendes Phantom nicht allein innerhalb von Kirche, sondern ebenso dort, wo es um Organisationen der Pädagogik geht, also auch in Schulinternaten, in Sportvereinen, in Musikausbildungsstätten. Zeitbezogene Auswüchse gehen auf den Geschmack des jeweiligen Zeitgeistes zurück. Dieser wendet sich lieber dem Kurzfristigen und dem Materiellen zu als dem Übernatürlichen. Sünde ist nicht immer nur Tat, sie ist auch Zustand. Sie wird als Missbrauch der Freiheit definiert. Sie ist nicht so sehr die Missachtung einer Norm als die Opposition zum Göttlichen. Durch sie ist der Mensch ein Leben lang zum Kampf verpflichtet.

Volksfrömmigkeit gehört der Allgemeinheit. Das sollte kein Grund sein, sie zu verachten oder zu missbilligen. Es reicht, wenn sie in die Bahnen der adäquaten Veröffentlichung gelenkt wird. Aufarbeitung regelt sich immer über Verständnis, nie über Verkrampfung. Was die Menschheit an Transzendenz zulässt, wird sie stärken, andernfalls wird sie sich von der Negativität der

Aussichtslosigkeit bedroht sehen. Diese ist meistens unerbittlich. Das Resultat ist keine Frage der Deutung, sondern der Überzeugung.

Materie macht nicht das Denken aus. Sie gestaltet ja auch nicht das Unsichtbare. Liegt etwa darin das modische Ärgernis an Religion? Im Ausschwingen des Pendels werden auch die optimistischen Eindrücke wieder hochkommen. Davor braucht sich niemand zu fürchten. Kirche ist Realität, weil sie imstande ist, das Seelenleben des Menschen zu spiegeln. Sie wird keineswegs an die Stelle des Übernatürlichen gestellt. Sie hat eine Bestimmung und die ist, der Spiritualität Kraft und Dynamik zu geben.

Zeiten geistiger Trockenheit gab es in vielen Perioden der Geschichte. Das ist per se noch kein Debakel. Wenn Europa zurzeit von Massenaustritten aus der Kirche betroffen ist, trifft das nicht auf andere Kontinente zu, wo es immense Zuwächse gibt. Außerdem ist es nicht das erste Mal, dass die Kirchen in Europa für Gottesdienste leer bleiben. Im 16. Jahrhundert, zur Zeit der als Kirchenlehrerin verehrten Teresa von Avila, waren mehr als die Hälfte der Christen abtrünnig geworden. Teresa verteidigte das „mutige und demütige Ausharren, damit die Dürre euch den Gewinn der Demut bringt und nicht Unruhe euch überkommt“. Ein schwieriges Unterfangen, wo bekommt man sie denn zu kaufen, die Demut? Man tut sich schwer und macht sie nicht so leicht ausfindig. Sie bleibt eine überlegenswerte Sache, gerade in den immer wieder aufflackernden Zeiten von Katastrophen. Das Aufgeben wäre jedenfalls eine schlechte Alternative.

Die Epoche der unwiderruflichen Glaubenslosigkeit gibt es nicht. Das beweist die Geschichte der Länder, in denen versucht wurde, den Glauben aggressiv auszutilgen. Es liegt wohl daran, dass der Kirche wesentliche geistige als auch gesellschaftliche Funktionen zukommen. Ihr Auftrag ist es, an die fundamentalen Ereignisse der Menschheit zu erinnern. Schwierige Glaubens-Perioden, wie sie gerade in Mitteleuropa zu beobachten sind, finden ihre eigenen Reservoirs. Die Bereitschaft zum Weitermachen wird nicht mehr quantitativ, dafür umso mehr qualitativ erlebt. Die Motivation, aus dem Alltag herauszuführen, Frieden zu schöpfen und die eigenen Grenzen zu akzeptieren, ist nicht aufgehoben. Der neue Umkehr-Schwung zum Positiven dürfte vielleicht auch schon losgetreten sein. Der Wert des Mentalen nimmt an Stärke zu.

Kirchen als Gebäude sind nicht allein zur Besichtigung gedacht. Sie bieten sich als Orte zur Erfahrung des Seins an. Sie sind Stätten der Konzentration, wo es sich optimal meditieren lässt. Als architektonische Zeugen der Vergangenheit ohne aktuellen Inhalt wären sie bloß die unstrukturierte Hardware einer Idee. Bedauerlich ist, dass heute selbst Getaufte wenig Bescheid über die Bedeutung des religiösen Contents wissen. Das trägt zur schleichenden Verunsicherung bei. Ist nun der Gottesdienst relevant oder nicht?

Die Messfeier dient als die gedankliche und mentale Auseinandersetzung mit dem Transzendenten. Es braucht Stil und Haltung. Beide drücken eine gewisse Symbolkraft aus. Sie schaffen eine besondere Note für Wertvorstellungen. Jede Erklärung, jeder Moment, jeder ausgesprochene Gedanke haben ihre Bedeutung. Damit müssten sich Christen als Beteiligte, nicht als passive Zuschauer, schon auseinandersetzen können.

Es betet nicht nur der Verstand, auch nicht nur das Gefühl, das Ziel ist es, das im Zentrum des Gebets steht. Religiöse Meditation ist nicht die Verabschiedung des Denkens, sondern das volle Ausreizen von Vernunft.

Wissen-light in Glaubenssachen ist der Sache nicht angemessen. Zu hoch wären die Risiken, das Existenzielle zu verkennen. Das hätte Gedankenraster zur Folge, die irritieren. Aus dem christlichen Verständnis heraus eröffnet die Präsenz des Übernatürlichen die Möglichkeit, das Wissen über die grundlegenden Prinzipien des Seins wie einen Schwamm aufzusaugen. Es wird mehr also nur erinnert, es wird vergegenwärtigt und nachvollzogen. Ohne dieses Angebot wären Wertvorstellungen sinnlos. Werden ihre Basiselemente amputiert, käme es zur inneren Verletzung, einem Trauma gleich, das keine Beziehung mehr zum Übernatürlichen erkennen würde.

6. ERINNERUNG.

Der Mensch hat ein Anrecht, ja sogar die moralische Verpflichtung, Geschichte zu verarbeiten und zu verkraften. Wichtige Elemente in einer Erinnerungskultur sind Gedenkstücke. Manchmal lassen sie verloren gegangene Erkenntnisse wieder aufleben, manchmal verstärken sie diese. Die Überlieferung aus der Geschichte müsste genügen, um sich in Geschehnisse, die einmal stattgefunden haben, vertiefen zu können. Im historischen Kontext der Christenheit stehen genügend Zeichen der Erinnerung im Angebot, damit das Wesentliche nicht in Vergessenheit gerät. Sie sind dazu da, das Konkrete im Leben herauszuheben.

Zoomen wir zwei interessante Rätselhaftigkeiten heran. Die Kirche hat sie noch nicht für sich als Dogma vereinnahmt. Und das ist gut so. Sie überlässt sie der Wissenschaft, der Physik, Chemie und Archäologie. Es ist die Rede vom Turiner Grabtuch und vom Gesichtstuch von Manoppello. Diese zwei Reliquien sind so eine Art Nachhall-Erinnerung an die Ereignisse zur Zeitenwende, so etwas wie ein stummes Zeugnis dessen, was vor 2000 Jahren geschah.

Die Berührung mit der Universalgeschichte rückt das, was einmal geschah, neuerlich ins Licht. Als die Wissenschaft zuletzt im Jahr 2002 das Turiner Tuch untersucht hatte, wurden darauf die schwachen Abbildungen auf der Vorder- und Rückseite bestätigt. Es sind die Umrisse eines gefolterten und gekreuzigten Mannes zu sehen. Sie werden mit der Person Jesu Christi in Verbindung gebracht. Die Untersuchungen wiesen Erstaunliches auf. Die Fasern der Tücher waren nach zwei Jahrtausenden unversehrt geblieben. Was war passiert?

Die jetzigen Generationen verfügen über offenere Vorstellungen von unvorstellbaren Energien als es ihre Vorgängerinnen hatten. So ergänzen sich die schlichten Bilder der frühchristlichen Zeit zu den modernen Vorstellungswelten, als wären sie ausgerechnet für die Welt der Technologiegläubigkeit erhalten worden. Die Kunsthistorikerin Gertrud Wally hat in ihrem Buch über das Grabtuch von Turin zusammengefasst: Forscher der amerikanischen Weltraumbehörde NASA sprechen von einer ‚Coronal Discharge', einer ‚Bündelentladung', einer blitzartigen Strahlung, die im Spiel gewesen sein muss, um die Abbildungen zu hinterlassen. Was war das also für eine Energie, die sich entladen hat? Tatsächlich enthält die Frage ein Rätsel. Es wird als eine Momentaufnahme der Historizität gesehen.

Gottesbeweise sind sowohl in den Kultur- als auch in den Naturwissenschaften unzulässig. Heutzutage ist dies in Philosophie und Religion eine ebenso gängige

Aussage. Ein Anspruch darauf würde zur Verzerrung von Glauben führen. Um das Glauben zu gewährleisten, bedarf es keiner Rechtfertigung aus der Naturwissenschaft. Der Quantenphysiker Anton Zeilinger argumentiert: „Gott darf nicht beweisbar sein. Er kann auch nicht nachweisbar sein“. Ergebnisse der Naturwissenschaft sind nicht dazu da, Gottesbeweise zu liefern, sondern allenfalls nachzuweisen, dass nichts Wissenschaftliches gegen das Beobachtbare vorliegt. Es darf nie auf naturwissenschaftlicher Ebene eine Theologie entworfen werden.

Ergebenheit gegenüber der Allmacht gehört vorbehaltslos zur Freiheit des Menschen. Die Wege zum Übernatürlichen führen über die innere menschliche Freiheit. Immerhin werden Erinnerungen geschenkt, die das Geschehen dieser Welt festhalten. Das Episodenhafte gehört zur menschlichen Erfahrung. Auf das authentische Bedeutsame müssen wir nicht erst warten, es ist immer schon da gewesen. Der Schein ist wohl nicht der Sinn des Lebens. Wünschen wir uns vielleicht zu viel herbei und zielen zu wenig? Wir könnten mehr als nur Sieger sein, eben Wettkämpfer, die ihren Horizont ausweiten.

Verlieren wir bloß nicht den Kontakt zu uns selbst. Er macht uns erst das Übernatürliche zugänglich. Wir sollten uns nicht aufgeben, wenn wir uns gegen das Trostlose stemmen. Die Chance, das Wesentliche nicht zu verpassen, gehört zum Lebens-Auftrag. Was ist die Bedeutung von Leben? Was sagt es aus, dass Leben mehr ist als die Überwindung von Tod? Im menschlichen Organismus sind die Lebensprinzipien zusammengefasst: Leben ist Chemie, Leben ist Physik, Leben ist Schwingung. War da nicht noch etwas?

Leben ist ein Wunder, das die Wissenschaft nicht

begreifen wird können. Nicht wir glauben, weil wir ein Wunder sehen, wir sehen Wunder, weil wir glauben. Gibt es einen vernünftigen Grund, Wunder zu negieren? „Wer an Wunder nicht glaubt, ist vermutlich kein Realist“, ist zu einem geflügelten Wort geworden. Die Existenz selbst ist schon ein unergründliches Wunder. Die in der christlichen Lehre überlieferten Wunder lassen sich nicht bloß als Taten interpretieren. Eher bilden sie einen Modus zum Nachdenken. Das signalisieren sämtliche Formen von Wundern, die metaphysisch erlebten genauso wie die Naturwunder bis hin zu denen, die von der Wissenschaft selbst freigesetzt werden. Ein Wunder ist noch kein Glaubensbeweis. Es könnten x-fach Wunder passieren, es könnten x-mal Rollstuhlfahrer plötzlich aufstehen, Blinde sehen, unheilbar Kranke geheilt werden....deswegen würden die Menschen dennoch nicht viel mehr glauben. So schildert es schon die Bibel.

Per definitionem ist ein Wunder nichts Paradoxes, sondern etwas, das außerhalb der Norm liegt. Nur an die Normalverteilung zu glauben, wäre zu kurz gegriffen. Es geht auch nicht darum, sich zu wundern. Die Zusammenhänge sollten nur richtig gesehen, erfasst und vielleicht ein wenig verstanden werden. Wenn man sie nicht mehr erkennt, ist man deswegen nicht weniger Mensch. Ob dadurch die Handhabung des Seelischen schwieriger wird? Die Unzulänglichkeit des Menschen schiebt den Einfluss des Übernatürlichen nicht beiseite.

7. KRAFTANSTRENGUNG

Abgearbeitet, abgehetzt, abgekämpft sind keine so unbekannten Symptome des Alltags. Wir fragen uns, wozu der ganze Einsatz gut ist. Damit bringt sich Sisyphos, die tragische Figur aus der griechischen Mythologie, in Erinnerung. Er musste zur Strafe für irgendwelche Frevel einen Felsblock auf ewig einen Berg hinaufwälzen, der kurz vor dem Gipfel wieder ins Tal rollte. Den Stein einfach liegen zu lassen wäre eine mögliche Variante für die Erlösung. Allerdings ist das kein Ausweg für den körperlich, mental oder seelisch erschöpften Menschen. Dann wären nur ein Ende und keine Zukunft zu sehen.

Was hilft, aus diesem Dilemma herauszukommen? Die richtige Ernährung, körperliche Fitness oder ausgeklügelte Medikamente sind nicht der Weisheit letzter Schluss. Wir würden zu gerne den letzten Stein im Mosaik eines lebenswerten Lebens finden. Die Anreize sind wohl gegeben, es erscheint nur so schwierig, sie aufzuklauben. Die letzten Ursachen lassen sich nur über das Vertrauen erklären. Der Anteil des Menschen am Übernatürlichen liegt in der Zuversicht. Sie bestimmt das Prinzip des Seins.

Da die Zeichen nach einer ungewissen Zukunft vorhanden sind, dürstet die menschliche Logik nach weiteren Erklärungen. In den Schriften des jüdischen und christlichen Lebens finden sich die Perspektiven, die zum Vertrauen führen sollten. Sie beinhalten fraglos einen hohen Anspruch. Können wir ihn nicht einlösen, verfallen wir in die Blasiertheit der Selbstüberschätzung. Sie steht uns nicht zu, auch wenn wir sie überhaupt noch nicht aus unserem Vokabular gestrichen haben. Der Mensch revoltiert immer wieder gegen das Vertrauen. Das vernichtet ihn auf Dauer.

Im Glauben folgen wir der Logik des Möglichen, einmal eingetaucht sind wir mit der Logik des Wahren konfrontiert. Wie wäre es wohl, wenn es nirgendwo auf der Welt das Zeichen des Kreuzes als das Symbol der Orientierung gäbe? Dort wo es in vollem Stile wahrnehmbar ist, gibt es keinen Missbrauch von Auffassungen. Es geht nicht um die Frage, was wäre gewesen, wenn dieser Jesus zu einer anderen Zeit gewirkt hätte, wenn er nicht verurteilt worden wäre, wenn sich die Ereignisse ganz woanders abgespielt hätten. So ein Nachfragen ist widersinnig. Es drängt in eine auffallende Leere der Zusammenhänge. Kehren wir zum bestimmenden Faktor zurück: „Der Mensch denkt, Gott lenkt".

Intelligenz und Bildung sind keine leeren Schemata. Das tradierte Wissen erweitert unseren Horizont. Wir spüren die Veränderung. Zum Leben ‚ja' zu sagen, ist immer positiv zu werten, im schlimmsten Fall sogar als

Trotzreaktion. Die emotionalen Werkzeuge stehen ja zur Verfügung: Vertrauen und Zuversicht. Die viel zitierte kindliche Freude ist genauso wertvoll wie das aus der Erfahrung gespeiste Nachdenken. Beide sollte im selben Maße gepflegt werden. Von beiden Seiten zusammengeführt gelangen wir in die Mitte der Gelassenheit.

Eine transparente Klarheit der Botschaft reißt uns den Horizont auf, auch wenn wir sie nicht auf Anhieb verstehen. Es ist der Gesichtskreis, der das eigene Leben umspannt. Das Göttliche eröffnet die Begegnung ganz anders als der Mensch es sich vorgestellt hätte. Verständlich, da das göttliche Ermessen sich anders darstellt als das menschliche. Gewohnt an ihre eigenen Mechanismen vermutet die menschliche Denkweise die Allmacht primär in der Vormacht des Despotischen.

Im christlichen Glauben taucht das Göttliche völlig

unerwartet inmitten der menschlichen Schwachheit auf. Was da am Kreuze passiert ist, verstehen wir in seiner ganzen Tragweite nur schwer. Ungeahnte Bedeutsamkeiten ergeben sich. Sie liegen außerhalb der menschlichen Auffassungsgabe und machen jegliches Analysieren überflüssig. Es ist unverzichtbar, das Geheimnis aufzunehmen und ihm aktiv freien Lauf zu lassen, einfach in Richtung Sinn agieren, tu es.

Finanzielles Glück wird es nicht sein, das ist auch nicht der Maßstab. Die Lust auf uns selbst, spielt sich woanders ab. Wenn wir uns selbst akzeptieren, nehmen wir auch das Größere, das Übergeordnete an. Das Erfreuliche daran ist, dass wir als Menschen nicht mehr zu obsiegen brauchen, wir kapitulieren auch nicht, aber wir akzeptieren die großen Geheimnisse. Wir dürfen uns zeigen, wir leben in keiner Suggestion. Die Melancholie fällt von uns ab. Weicht sie der Freude? Wenn wir Glück haben oder es so wollen, werden wir diese

Selbstverständlichkeiten verstehen. Man sollte nicht lange auf die Hoffnung warten, viel mehr den Mut zur Hoffnung aufbringen.

8. WAS VERSTEHEN WIR UNTER LOGOS?

Auf erste Sicht ist Logos ein vom Menschen aufgenommener Begriff. Schon in der Antike bezeichnet er den weltumfassenden Sinn. In der Natur zeigt sich der Logos, daher beruht Natur auf Logik, sagt die Naturwissenschaft. Die Christologie sieht im Logos den Ursprung aller Dinge, das Wort Gottes, die Sprache des Übernatürlichen. Der Prolog des Johannes-Evangeliums sieht im Ursprung von allem den Sinn und Gott selbst als den Sinn.

Das christliche Glauben widmet sich dem Zeit-Raum-Modus in eigener Art und Weise. Die Dimensionen werden gesprengt. Die Ewigkeit bestimmt sich nicht durch ein Zuvor und ein Danach. der ‚Menschensohn' ist für alle Menschen gekommen, unabhängig von Zeit und Ort. Es heißt, „wäre Gott nicht zum Menschen gekommen, dann wäre der Mensch auch niemals zu Gott gekommen". Wenn die Menschheit in die Beliebigkeit von Glaubensangeboten zurückfällt, bleibt nur nackte, unbefriedigende Information übrig. Natürlich erschließt sie sich ihre Quellen. Doch die Logik bleibt ohne übergreifendes Grundwissen wertlos. Wenn dann das menschliche Wesen auf dem Rücken liegt, ist es deswegen, weil es sich entweder im Übermut räkelt oder vom Unwissen niedergestreckt wurde.

Die Hoffnung verfällt nicht in Ohnmacht, wenn es um die menschliche Existenz geht. Dass wir das überhaupt durchdenken können, ist ein seelischer Vorgang. Glaubensinhalte scheinen nicht in Systemen auf, sondern in Botschaften. Wer zweifelt daran, dass die christliche Botschaft eine frohe Information ist? Ihr Postulat ist nicht abgeschlossen. Sie öffnet sich dem Menschen. Nirgends drückt sie eine Drohung aus à la: „Ich bringe euch das Verderben", sondern immer das

Gegenteil: „ich bringe euch die frohe Nachricht“. Der Philosoph Robert Spaeman kommentiert: „Nur wenn Gott wirklicher Gott ist, täuscht er uns nicht“.

Wo bleibt der Lebenskünstler, der es beherrscht, zu genießen, wenn er mit dem Leben ohne Aussicht abschließt? Menschen sind auf Richtungsweisung angewiesen. Eine davon schärft das Gewissen. Es ist die Methode, zu versuchen, die Zusammenhänge zu verstehen. Wir werden nicht alles bekommen können, was wir wollen. Auch können wir nicht alles verstehen. Aus diesem Grund werden wir geleitet. Trotzdem verfügen wir über eine absolute Entscheidungsfreiheit. Sie registriert alles, was zu berücksichtigen ist. Sie ist die Legitimität, das zu bedenken, was zu tun ist.

Ungeachtet des vorherrschenden geistigen Durcheinanders sollten wir in der Lage sein, das Transzendente zu finden. Da es weit über unserer irdischen Beschränktheit steht, müssten wir uns nur mit dem Offenbarten beschäftigen, dann erhalten wir die Antworten. Nur wenn wir staunen, werden wir auch dazulernen. Wird alles nur passiv akzeptiert, führt es zur Schicksalsgläubigkeit. Dann wäre wirklich alles von vornherein nur Schall und Rauch.

Was ist Welt? Jenseits unseres Horizontes gibt es noch mehr als wir vermuten. Der Verhaltensforscher und Medizin-Nobelpreisträger Konrad Lorenz stellte fest: "Wir wissen nur etwas ganz Primitives und alles andere ist für unser Hirn, so wie wir heute sind, transzendent". Es gehört seit Anbeginn zur Auszeichnung des Menschen, sich mit Glaubensfragen auseinanderzusetzen. Rennt er daran vorbei, entfernt er sich immer mehr vom Sinn des Lebens. Das menschliche Wesen ist dazu berufen, sich dem Übernatürlichen zu widmen. Sich im Metaphysischen weiterzubilden wird zur existenziellen Bedingung. Wenn man nichts weiß, kann man auch nicht wachsen. Weiß man, was man nicht weiß? Nein. Also gehen der Neugierige und der Weise auf die Suche.

Die unumstrittene Bedrängnis der Welt erdrückt den Menschen. Selbst Heilige brechen in Tränen aus, wenn sie dem Leid ohnmächtig ins Gesicht blicken. Beim Hinschauen könnte man verrückt werden. Aber es berechtigt das Geschöpf keineswegs zu jammern, wie arm es sei. Der Soziologe Theodor Adorno meinte einmal, dass „man nach Ausschwitz keine Lyrik mehr schreiben könne. Nach Ausschwitz und Hiroshima fiele es schwer, vom allmächtigen und allgütigen Gott zu sprechen“. In dieser Welt wurde schon viel gefoltert und gemordet. Auch heute noch werden ganze Familien ausradiert, gibt es Ungerechtigkeiten, Kriege, Seuchen und Katastrophen. Eine unheimliche Stimmung macht sich breit, wenn Menschen den Gräueln, aber auch den Übergewalten ausgesetzt sind. Was rettet sie aus der

Starre? Was geschieht unter oder über dem Radar des Gesehenen? Wir sind ja nicht da, um zu betrachten und zu urteilen, wir stehen ja mitten drin im universellen Geschehen. Resignation ist fehl am Platze, wir sollten uns bewegen, wenn möglich in die richtige Richtung.

Die Dinge, die wir nicht kontrollieren können, wie Naturkatastrophen oder Meteoriteneinschläge, ereignen sich nun einmal. Das ist Evolution. Wir müssen uns anpassen. Vieles ist auch selbstverschuldet. Was der Mensch verursacht, muss er selbst ausbaden. Er sollte sogar daraus lernen. Der Mensch ist schon ein merkwürdiges Wesen, wenn er sich über Umstände, die er selbst verursacht hat, beklagt und weiter so macht, als wäre er unbeteiligt. Noch unverständlicher ist es, wegen des ständig erlebten Wahnsinns die Prinzipien der Absurdität hochzuhalten.

Dem Leiden entkommt wohl kaum ein menschliches

Wesen. Die Last des Tragens wird leichter, sobald es ein Einsehen in die Weisheit des Absoluten gibt. In der Beziehung zum Unergründlichen liegt die Stärke. Denn es gibt das Trotzdem. Auch das ist vom Menschen zur Kenntnis zu nehmen. Wir dürfen nicht müde werden, zu existieren. Es ist das Postulat der Hoffnung. „Ich glaube nicht an einen Gott, der mich vor der Gefahr rettet, sondern an einen Gott, der in der Gefahr bei mir ist“ artikulierte der als Provokateur bekannt gewordene Priester Thomas Frings aus Münster. „Ich glaube nicht an einen Gott, der mich vor dem Tod bewahrt, sondern mich im Tod bewahren wird.“

Darauf zu vergessen, dass das Göttliche ständig präsent ist, wäre töricht. Es findet sich im Kinde, es begleitet den Erwachsenen, so richtig zugänglich wird es möglicherweise im und nach dem Tod. Die Lebenssehnsucht der Menschen trifft nicht ins Leere. Es gibt keinen Grund melancholisch zu werden, allerdings

genug Nährboden, hoffnungsfroh zu sein.
Wie tief berührt es überhaupt den Menschen, dass das Göttliche zur Erklärung der Existenz auf die Stufe der irdischen Enge herabsteigt?

Die Personifizierung des Göttlichen löst das Glauben aus der abstrakten Vorstellung heraus. Daraus geht hervor, dass dieser Jesus Christus für jeden von uns persönlich gekreuzigt worden ist. Er ist das irreversible Ja des Göttlichen zum Menschen. Ist das Kreuz das Instrument der Erlösung, dann wurde diese Hoffnung auch plausibel mitgeteilt. Wir könnten unsere Routine unterbrechen und die für uns bestimmenden Impulse setzen. Wir müssten nur wollen.

Person ist Person, egal ob sie Dow-Syndrom hat oder Nobelpreisträger ist. Im Religiösen steht sie zur Disposition. Es ist dem Menschen nicht erst implantiert, es ist in ihm seit jeher präsent. Klammern wir Werte und

Religiosität aus, töten wir die Ursehnsucht des Menschen ab. Sprachlich bedeutet das Wort „religarsi" „zurückbinden an etwas". Es ist ein „Zurückgebunden-sein" am Absolutem. Wenn auch sonst alles den Gesetzen der Relativität entspricht, das Absolute selbst lässt sich nicht relativieren. Das wäre Nonsens.

Diese Bilanz ziehen alle großen monotheistischen Religionen. Die älteste, das Judentum, erfuhr den ersten Anruf im „Schma Jisrael, Adonai Haschem Elohenu Haschem Echad" „Höre Israel, der Ewige, unser Gott, der Ewige ist eins.". Auch später, im Islam, enthält die Anrufungsformel „Bismi 'llāhi raḥmāni 'raḥīmi" „Im Namen des barmherzigen und gnädigen Gottes" die Realität einer allmächtigen und allgegenwärtigen Übernatur.

Wozu ist der Glaube also da? Er hilft dem Menschen, das Leben einzuordnen und zu verstehen. Er ist demnach auch Begegnung. Nur, wem begegne ich und wie? Dass es das Göttliche gibt, ist für das Individuum eine Frage der Vernunft. Sie liegt in der Logik, also im Logos. Deshalb möchte Religion erkunden, wie Gott ist. Darin liegt das Gebot der Vernunft und der Akzeptanz. Mangelhafte Logik führt zur Miss-Interpretation von Religion. Ohne Vernunft ist der Glaube in Gefahr, fundamentalistisch zu werden. Religion ist auch Geschichte, die Geschichte der Menschheit. Und sie hat ihre Geheimnisse, sonst wäre sie keine Religion.

Die Christologie rundet die Feststellung ab: haben wir bloß Religion oder einen Hirten? Sie fokussiert sich auf eine konkrete göttliche Person, die ihr in der Geschichte sogar vorausgesagt wurde. Einiges zu dem Mensch gewordenen Göttlichen war schon tausend Jahre zuvor niedergeschrieben worden, inklusive Herkunft, aus welchem Geschlecht und Stamm es kommen würde, inklusive Todesart am Kreuz und viele Details mehr. Die

Schwierigkeit der Gesellschaft, diese Zusammenhänge zu verinnerlichen, liegt wohl darin begründet, dass immer versucht wird, von unten nach oben zu denken, statt umgekehrt.

Schwerwiegend ist der Irrtum, sich das Absolute gedanklich gefügig machen zu wollen. Der Philosoph Karl Popper unterstreicht in der Erkenntnislehre den besseren Realitätsgehalt, der aus der Deduktion gefolgert wird, also im Denken von oben nach unten. Umso mehr gilt im Religiösen die Regel, von oben nach unten zu argumentieren. Das Göttliche wird uns erreichen, nicht umgekehrt. Der Völkerapostel Paulus hebt die erneuerte Identität hervor: „Nicht mehr ich lebe, sondern Christus lebt in mir". So kann Religion auch nicht mit einem Hobby verglichen werden. Wenn die Rolle im Zusammenleben des Menschen aus der Religion herausbricht, schlägt das Chaos zu. Dies verdeutlicht sich gerade in der globalisierten Welt.

Das menschliche Wesen spürt die vielen irdischen Arten von Lebensmächten. Musik ist eine solche, auch wenn sie nicht von allen erfahrbar ist. Religion eine andere. Von allem Anfang hat es nie ein Menschsein ohne Musik und nie eines ohne Religion gegeben, weist die Archäologie nach. Die Sinne sind demnach mit religiöser Bedeutung aufgeladen. Der letzte Sinn liegt im Göttlichen. Freilich war die Geschichte der Menschheit unübersehbar auch ein ständiger Widerstand gegen das Göttliche. Wollen wir Menschen die späte elfte Stunde erst dann erkennen, wenn wir getestet werden, bevor uns etwas Wertvolles gelingt?

Es sollte dem Menschen zumutbar sein, zu dem zu stehen, was ihm wertvoll und bedeutungsvoll erscheint. Dieser Anreiz übersteigt alle anderen Vorstellungen. Außer Angst, Freude und Überlegung gibt es noch andere Ingredienzen der individuellen Existenz. Der Treiber im Bewusstsein ist die Sinnsuche. Ohne Glauben

– und wenn es nur der Glaube ans Nichtglauben ist - gibt es kein menschliches Ich.

Wenn der Unglaube die individuelle Vernunft dominiert, sind die Denkprozesse eingetrübt. Denn er erlaubt es nicht, zu einer übernatürlichen Wahrheit zu gelangen. Er will es gar nicht so weit kommen lassen. Wer will aber schon freiwillig geistig blind sein? Wir kommen der Wahrheit nicht näher mit der Annahme, dass es sie nicht gibt. Wohl gibt es für alles eine rationale Erklärung. Sie mündet darin, dass Glauben nichts Irrationales ist. Selbst dort, wo der Beruf auf rationales Denken und auf Machbarkeit ausgelegt ist, sind seine Repräsentanten durchaus imstande, sich der Transzendenz zu öffnen.

9. SINN UND GLAUBE

Sprachlich hat ‚Glauben' eine mehrfache Konnotation. Es kann das Glauben im Sine von Hoffen sein, „Ich glaube, ich werde Glück haben", es kann im Sinne von Vermutung sein „Ich glaube, dass das so richtig ist" und es kann im Sinne von Einsicht und Gewissheit sein, also mehr als bloßes Wissen. Im Folgenden geht es um das Für-Wahrhalten religiöser Vorgaben.

Professionellen Managern wird nachgesagt, dass sie bei ihren Problemlösungen nach Richtlinien der Logik vorgehen. Damit sind ihre Tätigkeiten von Philosophien mitgeprägt. Das könnte aber auch über die Unternehmens-Philosophien hinausreichen. Man will den Kern der Lebens-Realität herausfinden. Alle Formen treiben auf die Frage zu: kann Glauben das Leben verändern? Inwieweit stoßen wir dabei an Grenzen? Wie können wir dem Wunsch nach Umdenken entsprechen?

Managern muss Spiritualität also nicht fremd sein. Denn auch sie setzen sich mit der Auslegung des Sinnvollzugs des Lebens auseinander. Die richtige Lebensführung kann zur Priorität werden. Sie wissen ja, dass selbst die Leistungspotenziale ohne das Geistige nicht auskommen. Die spirituelle Ausgeglichenheit dient ihnen sogar als Instrument gegen das Triviale im Leben. Sie wollen ja zu sich selbst finden. Naiv zeigt sich, wer nicht weiß, dass das berufliche Können und Wissen nur ein Ausschnitt der Wirklichkeit ist.

Unternehmer sind gewohnt, substanziell weitreichende Entscheidungen zu treffen. Einige von ihnen halten sich gar nicht zurück, wenn sie ihren Glauben offen bekennen. Es ist anzunehmen, dass dann ihr subjektives

Handeln nicht ausschließlich von Profitmaximierung nach dem Shareholder-Value-Prinzip ausgerichtet ist. Nicht anders ist das Dictum eines Vorstandes der Daimler AG zu verstehen, wenn er sagt „Ich könnte nicht als Manager arbeiten, ohne Christ zu sein. Was ich im Glauben und in der Beziehung zu Gott lerne, hilft mir, Menschen anzuleiten und Konflikte zu lösen." Der ehemalige CEO der Linienreederei Hapag-Lloyd Michael Behrendt vergibt sich nichts, wenn er öffentlich kundtut „Beten hilft. Es gibt mir Kraft." Und mitten in der leidigen "Corona-Pandemie-Krise" verwies der Chef der „Mittelstands- und Wirtschaftsunion" auf die Kraft und die tragende Orientierung, die im christlichen Glauben liegt und meinte „Nichts auf dieser Welt ist sicher. Aber Gott ist da, wenn Gesundheitsamt, Arbeitsagentur und die Bundeskanzlerin nicht mehr helfen können".

Wenn der CEO des amerikanischen Chipherstellers „Intel" Pat Gelsinger, wie so viele andere Führungskräfte öffentlich bekennen, dass sie ihr Werteempfinden aus dem Glauben schöpfen, lässt schließen, dass die Liste der Testimonials aus der Riege der Manager nicht so klein sein kann, wie man vermuten würde. Selbst der nach eigenen Aussagen „eher nicht religiöse" kanadisch-US-amerikanische Unternehmer Elon Musk, bekannt durch seine Beteiligung an der Gründung des Online-Bezahlsystems PayPal, der Elektroautomarke Tesla und durch sein privates Raumfahrtunternehmen SpaceX, erklärte in einem Interview, dass ihm grundlegende christliche Werte wichtig sind.

Haltung und Gesinnung gehören zu den unsichtbaren Begleitern in verantwortungsbelasteten Berufen. Auf sie kommt es an, wenn man mit neuen Erfordernissen konfrontiert ist. Die großen Macher haben die entsprechenden Bilder vor Augen, wenn sie an die Wirkungen denken. Diese reizen sie sicherlich auch bei der Sinnsuche aus. Natürlich gibt es ebenso die

Ausreißer in die Richtung der Skepsis. Es lässt sich nicht verheimlichen, dass auch die negativen Einstellungen ans Tageslicht der Öffentlichkeit gelangen.

Unvermutete Momentaufnahmen werden nicht ausreichen, um den Überblick zu bewahren. Es ist nicht zu vermeiden, dass sich permanent der Wunsch aufdrängt, den Kontakt zur Übernatur zu finden. Die falsche Ausgangsposition könnte da im Wege stehen. Oberflächliche Betrachtungsweisen werden nichts einbringen. Man müsste sich schon intensiv mit den Fragen der Wahrheit auseinandersetzen. Die vier, fünf oder zehn Semester der Spezialisten werden nicht ausreichen, unbedingt die Vorreiterrolle zu übernehmen. Für alle Beteiligten ist es eine Lebensaufgabe. Die Vorbilder treten oftmals überraschend ganz woanders auf. Am besten lernt und erfährt man aus der gegenseitigen Befruchtung in der Gemeinschaft.

Auf eigene Faust werden wir das Glauben nicht entdecken. Wie dann? Wir bekommen es geschenkt, kommunizieren es, verinnerlichen es. Es bleibt eine Sache der inneren Verarbeitung. Trägheit entkräftet. Erst wenn wir spüren, wie viel wir ohne die unvergleichbare Beziehung zum Sein verpassen, könnten wir es geschafft haben. Es geht um persönliche, nicht private Grundsatzentscheidungen.

Und dann stellen wir gar nicht so überrascht fest, dass die Verbindung zur Übernatur nicht so locker in den Lüften schwebt. Wenn sie ein ursächliches Bedürfnis ist, wird es geboten sein, sich auf das Neue auch zu freuen. Sie ist ein Weltenelement, das den Menschen ganz anders qualifiziert. Solche Chancen sind existentiell wichtig. Jedes individuelle Durchkommen ist darauf angewiesen. Was täten wir, wenn wir keinen Grund zur Beziehung mehr hätten?

Erwartungen zu verdrängen, ist keine gute Empfehlung. Das wäre nicht nur unrentabel, sondern auch unmenschlich. Es wäre ein Fehler, das Mögliche just-for-fun verkommen zu lassen. Lebensnotwendige Entscheidungen werden nicht im Handumdrehen getroffen. Wir gehen auf Entdeckung. Irgendetwas werden wir sicherlich herausfinden. Sich einmal sagen zu müssen, die Chancen verschlafen zu haben, könnte schmerzhaft bitter sein. Je nachdem wir uns in die Begegnung mit dem Übernatürlichen hineinwagen, werden wir verändert.

Die Menschheit, der Mensch, das Individuum können vom Sinn nicht losgelöst werden. Dies ist schier unmöglich. Doch im Sinnhaften zu verharren, ist nicht einfach. Das Leben ist bekannt für seine Diskrepanzen. Wie heilen wir sie? Wir werden herausfinden, wo es lang geht. Geben wir der Sehnsucht zum Aufbruch einfach nach. Das Verlangen wird uns nicht überfordern.

Unsere Bestimmung sollten wir uns nicht kaputt machen. Die Tuchfühlung zum Transzendenten bleibt lebendig.

Vielleicht wissen wir noch nicht definitiv, was unsere Sehnsucht ist. Vorläufig streben wir ja noch nach Dramatik, nach Vernunft oder auch nach Ruhe. In allen Fällen haben wir Verantwortung für unsere Bedürfnisse. Wir sind zufrieden, wenn sie erfüllt werden. Doch wenn der Alltag zu dicht wird, ist die Sinnhaftigkeit vernebelt. Dann kommt es auf das Verhältnis an, in dem wir zu uns selbst, zu uns gegenseitig und vor allem zum Übergeordneten stehen.

Noch etwas anderes hält den Lebensablauf in Fluss. Wir kommen drauf, wie wertvoll regelmäßige Zeitinseln sind. In ihnen nehmen wir das Wesentliche wahr. Das bisschen Muße vertragen wir schon. Die wichtigen Fragen kommen erst in der Stille richtig zutage – oder sie werden weggedrängt. Wenn wir das Negative vertiefen, verurteilen wir da uns nicht selbst? Die Ruhe werden wir nur in der Einheit finden, die Ruhe mit uns selbst und mit der Gewalt des Übernatürlichen.

Die Wahrnehmung erschöpft sich nicht im Genießen, es muss auch darüber reflektiert werden. Wann haben wir die Zeit oder wann nehmen wir sie uns, über die essenziellen Seiten des Lebens nachzudenken? Wir formen unsere Gedanken, oder werden sie etwa von außen gemeißelt? Der Versuch sollte unternommen werden, den geistigen Schutz in Anspruch zu nehmen. Wir beteiligen uns, indem wir die Verbindung zum Übernatürlichen ausbauen.

Friede und Freude stehen im Angebot. Die Alternative wäre die Grausamkeit des vereinsamten Nicht-seins. Wollen wir denn auf solch eine Grausamkeit zusteuern? Das sind im Endeffekt keine Nebensächlichkeiten. Darin erahnt das Individuum die Weite der Hoffnung auf Zukunft. Es täte gut, sich die Zeit zu nehmen, es auszuprobieren. Das Leben ist kein Irrtum, davon könnte man ausgehen. Die daraus resultierende Logik führt direkt in das Glauben.

Wie sehr das Übernatürliche gebraucht wird, merkt der Mensch besonders dann, wenn er in die Einfalt zurückfällt. Das passiert sogar den größten Genies, dass sie in die Ratlosigkeit von Selbstzweifeln abrutschen. Auch sie sind auf Perspektive angewiesen. In dieser Weltformel ist nicht zu übersehen, dass die menschliche Freiheit ungemein viel zulässt. Die Kräfte, die da einwirken sind der Psychologie bestens bekannt. Man verliert sich in ihnen, egal ob sie Eigensucht oder Solidarität, ob sie Angst oder Mut, ob sie Bitterkeit oder Offenheit genannt werden.

Wir betrachten die Dinge in der Fahrt durch die

Ereignisse, zumindest für einige Augenblicke. Die Menschen machten es immer schon so. Die weisen Wüstenväter hatten dazu auf ihren Reisen durch die Einsamkeit etwas mehr Zeit. Sie zogen ihre Schlüsse und ließen es geschehen. Wo eilen wir dahin? Am Ende steigen wir aus und wenden uns dem Neuen zu. Alle haben ihre Meinung, die sich einmal gebildet hat.
Das Fragen und Suchen regt an. Der Zielfrage, wohin es geht, folgt die Zielsetzung.

Eine der negativsten Wirkungen ist die Verzweiflung. Sie zersprengt die Gehirne. Sie martert die Substanz des Menschseins. Es zahlt sich aus, die Hoffnung nicht ad acta zu legen. Es wäre nicht schlecht, würden sich die Reflexionen auf die fundamentalen Wertvorstellungen ausrichten. Diese Gedankenübung hätte nicht nur einen positiven Effekt auf die Psyche, auch das intellektuelle und soziale Potenzial könnte sich besser entfalten. Was ist faktisch, was ist einwandfreie Realität?

Der Entwurf der Metaphysik deckt das gesamte Panorama des Erlebens ab. Wollen wir das Verheißungsvolle erleben, sollten wir uns bereit erklären, auch Danksagung zu inszenieren. Man nennt es manchmal Meditation, manchmal Gebet, manchmal Gottesdienst. Was wird in Erinnerung gerufen, als wäre es gestern geschehen? Es schadet nie, nachzuvollziehen, was die Existenz bedeutet. Die Färbung des Lebens wird sich ändern. Haben wir uns nicht zu ändern?

Wenn wir all das geltend machen wollen, müssen wir die Bequemlichkeit als auch die Traurigkeit ins Abseits stellen. Was kann uns aus dem Phlegma der Schicksalsergebenheit herausreißen? Stellen wir die entsprechenden Fragen, werden wir hoffentlich interessante Antworten ernten. Das Wesentliche ist auffindbar. Es ins Profane abzulegen, klappt nicht. Wir würden den Ort vermissen, an den wir uns zurückziehen können. Dort müssen wir das Wissen nicht mehr sezieren. Dort plagen wir uns nicht mehr mit unsicheren Begründungen ab. Dort gibt es die Möglichkeit, Weisheit, Vertrauen und Verehrung zu zelebrieren.

Es wäre töricht, dem Unausweichlichen hinterher zu hecheln. Selbstbestimmend und proaktiv müssten wir uns auf das Unfassbare einstellen, das entspräche unseren Fähigkeiten. Die letzten Antworten auf die neugierigsten Fragen fallen nicht geradewegs aus den Wolken. Das Glauben generiert zwar Hoffnung, fordert aber vorab Zuversicht. Das Glauben geht immer unserem Meinen voraus. Wie die Vollendung aussehen wird, können wir noch nicht einsehen. Wir wissen nichts darüber, was außerhalb der Zeit liegt und kein Verstand kann ergründen, was nach dem Ende der Zeiten vor uns liegt. Es wird geradezu so sein, wie es sein wird. Es wird über die Geschichte hinausreichen, auch für die Hartgesottensten unter den Machern und Entscheidern.

Angesichts der offerierten Möglichkeiten wird man nachdenklich. Es zu wissen oder zumindest zu erahnen und trotzdem abzulehnen, bringt die Psyche aus der Balance. Die Betroffenen verspüren die verschiedensten Reaktionen. Immerhin haben wir die Vollmacht erhalten, zu akzeptieren oder eben nicht. Wenn das Irdische vollendet ist, stehen wir vor einem Prozess der Transition, das heißt unser Sein wird transformiert. Das Richtige auf dem Weg dorthin zu finden, ist nicht so einfach. Es wird unsere Identität ausmachen.

Die Transformation im philosophischen Kontext folgt nicht unbedingt der Begrifflichkeit des 21. Jahrhunderts. Das tut sie zu keiner bestimmten Epoche. Von der Jetzt-Zeit wissen wir nur so viel, dass sie sich sprunghaft verändert. Die Austauschprozesse in der politischen, wirtschaftlichen oder technologischen Entwicklung gehen viel rasanter vor sich. Der Veränderung in den mentalen Prozessen ist zu wünschen, dass sie langatmig erfolgt. Sie sollte gar nicht abrupt reagieren, eher langfristig angelegt sein und auf Kontinuität setzen. Das gibt Transparenz und Sicherheit.

10. ÜBER DIE ZEITEN HINAUS

Selbst das digitale Cyber-Reservoir wird einmal längst überholt sein. Vernünftigerweise vermuten wir, dass es kein Nichts ist, auf das wir zusteuern. So entspricht es unserem Naturell. Vielleicht stehen wir in einem anderen Raum, in einer anderen Zeit, in einer anderen Dimension. Es ist müßig, sich darüber Vorstellungen auszumalen. Wir sind nicht die Präzeptoren der Welt. Nicht wir bestimmen, wann es der göttlichen Kraft gefällt, in der Welt einzugreifen, lehrt die ‚Offenbarung'. Wir werden lernen, genießen, aber den Sinn nicht gänzlich herausfinden, es sei denn, es geschieht etwas Besonderes mit uns.

Der Kern des zeitgebundenen Menschseins besteht immer noch in der Verbindung von Geschichte mit

Zukunft. Vielleicht befindet sich dieser Vorgang schon jetzt am Ende der Weltenuhr. Niemand weiß es in den Zeitintervallen der Gegenwart genau, wo wir stehen. Doch in der Entwicklung der Perspektiven darf sich der Mensch unter keinen Umständen von seiner Identität verabschieden, auch nicht durch die selbst erzeugten technischen Errungenschaften. Die Antwort auf das Warum wird nie hundertprozentig gegeben werden können. Es gelingt nur mit der Umschreibung des Übernatürlichen.

Ereignisse haben ihren Einfluss auf das Individuum. Sie bringen den Menschen aus der Fassung. Schon allein aus diesem Grund sind religiöse Erkenntnisse für das persönliche Leben ausschlaggebend. Ohne sie wären die Lebensabläufe sinnlos. Irgendwann einmal wird der Mensch von seiner Vergangenheit eingeholt, weil sie zukunftsbildend ist. Es betrifft alle, gleichgültig ob sie mittellose Clochards oder im Reichtum schwimmende

‚Bluffer' sind. Alle werden damit konfrontiert, was um sie herum und mit ihnen geschehen ist. Das Wie bestimmt die Zukunft. Es kann nicht mehr wegradiert werden, sondern nur mehr bewältigt. Die Auseinandersetzung mit der vollendeten Gegenwart hat begonnen.

Das Vergangene brodelt wie beim Ausbruch eines Vulkans. Es kommt an die Oberfläche der Sinne. Wird es durchbrechen? Wie und wo finden wir uns? Die Erinnerung daran ist zu meistern. Das Erkennen rollt in den Sinn hinein. Alle berufen sich auf den Reichtum ihrer Weltanschauungen, die sie selbst bestimmt haben. Das gehört zur Eigenverantwortung dazu. Gespannt achten wir auf das Getöse und auf die Stille. Jedes Individuum und das gesamte Menschengeschlecht hat Verantwortung zu übernehmen. Der Reifungsprozess hat sie aus der Unschuld geschleudert.

Das Fragile am Menschen wirkt auf die Beschleunigung des Menschseins. Entscheidend ist dann das, was im Moment geschieht. Daran kann sich das Individuum erfreuen oder darunter leiden. Offeriert man dem Affen zur Auswahl eine Banane im Jetzt oder zehn Bananen, die er nach Überwindung einiger Hindernisse viel später haben könnte, greift er unumwunden auf das gegenwärtige Angebot. Aus anthropologischer Sicht lässt sich der Mensch beide Auswahlmöglichkeiten offen.

In jeder Aktualität des Schreckens weiß die Menschheit, dass im gegebenen Fall das Übel vorüber sein wird, die Diktatur irgendwann einmal vorbei geht, die Pandemie überwunden ist und jede Katastrophe einen Neuanfang auslöst. Doch wann? Die Voraussicht interessiert keineswegs die Betroffenheit des Jetzt. Man kann das Negative nicht einfach totsitzen, bis es vorbei ist. Das verschlimmert nur die Situation, lehrt uns die

Geschichte. Es vermindert die Lebensqualität. Im jeweils gegenwärtigen Zeitpunkt sterben die Menschen, werden gefoltert, ausgebeutet, hungern, fliehen vor Naturkatastrophen oder wälzen sich im Fieber. Die Wiedergutmachung zu einem späteren Zeitpunkt wird augenblicklich die Wenigsten ansprechen. Die Schlüsselfragen, ob und wann dem Übel Einhalt geboten wird, schließen sich nicht aus. Es geht nicht um das Erwarten, sondern um das Erfüllen. Gefühlt wird ausschließlich im Jetzt.

Wo liegt der Schlüssel? Auf Simsalabim funktioniert gar nichts. Das unmittelbar durchlebte Ereignis wird ad hoc verarbeitet, aber seine Ursachen währten zu lange, sodass sich niemand wirklich sofort Lösungen erwartet. Aber es ist gut, wenn aufgezeigt wird, dass man nicht vergessen ist. Die Antworten des Originären führen uns in eine andere Welt. „Das Leben passiert nun eben einmal, es war doch eine schöne Zeit - oder auch nicht“

ist eine Einstellung, die regelrecht dazu zwingt, das Leben wie etwas Lästiges abzustreifen. Befriedigt eine derartige Annahme? Nicht über Lauheit in den Ansichten werden wir hinübergeführt. Das Motiv wird sein, im Geistigen nicht zu degenerieren, sondern in das Tun und Streben, in das Ausruhen und Weitermachen zu investieren.

Objektiv dargestellt präsentiert sich die tradierte Auferstehung gar nicht so unverständlich wie man meinen würde. Sie steht für den Aufbruch. Der christlichen Theologie folgend ist Ewigkeit keine Verlängerung des irdischen Lebens. Das Fortbestehen lässt sich dem Begriff ‚Zeit' nicht unterordnen. Deswegen hat der Ausdruck der Unendlichkeit den größeren Impact. Wir stehen vor unterschiedlichen, nicht fassbaren Distanzen. Schon jetzt beginnt das Übergewicht über das Zeitliche. Wir erahnen es vielleicht. Wollen wir uns auf eine Ewigkeit ausrichten, die gar keine Ewigkeit ist, weil sie ja außerhalb der Zeit liegt? Die echte Qualität unseres Lebens ist zeitenthoben. In der Zeit gibt es noch den Wechsel - was nimmt ab, was nimmt zu. Die Beständigkeit liegt dort, wo sie unergründlich ist.

Das immaterielle Lebensprinzip wird dominant. Es liegt in der geistigen Vitalität. Alles hat seine Ursache. Die Chiffre für unsere Vorstellung liegt im Glauben. Die Person als Ganzes unterscheidet sich von ihrer Materie. Funktional bedeutet dies, dass sie etwas dafür tun muss. Die Kunst des Alterns, egal ob im Früh- oder im Spätstadium, wird somit zu einer Lebensaufgabe. Sie ist letztlich auf ein fixes Fernziel ausgerichtet.

Wäre es der Übergang ins Nichts, brauchte das Individuum auch nichts zu formen. Es könnte sich auch nicht auf etwas Besonderes freuen. Doch ist der Mensch auf Freude programmiert, vor allem auf ihre

Beständigkeit. Sie ist kein Happening, kein Schauspiel, sie hat Tiefgang. Noch ist das Lebewesen in diese Tiefe nicht eingetaucht. Der Sinn stellt verbindlich dar, wozu wir leben, woraus wir uns definieren.

Die christliche Anschauung streift ein weiteres Detail: in der Auferstehung der menschlichen Seele ist das Leibliche nicht abgeschrieben. Alles, was in seiner Beschränktheit und Endlichkeit ad acta gelegt wurde, könnte neu erwachsen. Das wird unter Fülle des Lebens verstanden. Sie ist kein abstrakter Begriff, sondern ein Versprechen der Botschaft aus der historischen Auferstehung. Sie wurde ja noch in dieser Welt so aufgezeigt. Diese Annahme justieren wir auf das Vertrauen, das ein „Sich Trauen“ ist. Es ist die Voraussetzung für Veränderung. Die Absicht liegt zwar in unserer Hand, die Verwirklichung allerdings in der Hand des Absoluten.

Was hilft es, von einer anderen Dimension zu wissen, solange wir mit uns selbst nicht zurechtkommen. Glauben verlangt also Selbstbewusstsein. Die eigenen Fortschritte im Glauben sollten wir unter Kontrolle halten, sonst entgleiten sie uns. Wir können sie nachverfolgen. Wir werden Gräben der eigenen Unsicherheit vorfinden. Um sie zu überwinden, müssen wir etwas tun. Wenn wir nicht aktiv werden, wird sich für uns nichts erfüllen. Es wird aber auch nicht verlangt, uns zu überfordern.

Wofür leben wir? Menschen scheinen sich stets mit Ängsten oder zumindest mit Gefährdungen zu beschäftigen, auch wenn sie es nicht zugeben wollen. Die Auseinandersetzung mit sich selbst und mit dem, was einen umgibt, ist notwendig. In welche offensichtlichen oder unbewussten Sehnsüchte fällt man hinein?

Wir befinden uns ohne Übertreibung auf einer Entdeckungsreise, die spannender nicht sein könnte. Zumindest das Gedankenexperiment sollte es wert sein, durchgespielt zu werden. Es ist zumutbar und es ist kein steriles Ausprobieren. Für jede/n von uns gibt es den Ort, wo wir mit dem Übernatürlichen allein sind. Solche Erlebnisse sind dann fruchtbar, wenn das Quantum Glauben konkret greifbar ist. Lediglich zögernd an die Sache heranzugehen, in der Vorstellung, dass es eventuell wahr sein könnte, wird nichts nützen.

11. DESIGN DES GLAUBENS

Jede menschliche Errungenschaft baut auf Anschauungskraft. Womit ringen wir sonst als mit Visionen um die Zukunft? Im Meditieren vermögen wir es, ihnen gegenüber aufgeschlossen zu sein. Meditation ohne geistige Orientierung ist unausgegoren. Sich ihr aus Naivität einer Mode hinzugeben, ist nicht nur unergiebig, sondern höchst gefährlich. Als bloßes Psycho-Instrument erfüllt sie lediglich den Zweck der Betäubung, ist sie eine Droge, aber eine mit Alpträumen.

Was ist die eigentliche Absicht unseres Geistes? Dem richtigen Ansatz dürfen wir uns nicht verwehren. Wie gehen wir auf das zu, was uns ausmacht? Religion trifft auf das Selbstverständnis des Menschen und seiner

Geschichte. Umso bedauerlicher ist es, dass Religion in der Zivilgesellschaft allzu oft ungenau besetzt ist. Es müsste eigentlich jede/n Einzelne/n interessieren, woher sie kommen und was mit ihnen geschieht. Das Ziel unseres Lebens ist keine Selbstverständlichkeit, über die man nicht mehr sprechen muss. Die Spanne ist viel zu kurz, um vernachlässigt zu werden. Weniger kurz ist das Ergebnis, das wir erhalten könnten.

Klar ist, dass das Übernatürliche nicht widernatürlich sein kann. Einmal so, einmal anders ist keine Richtschnur der Verlässlichkeit. Die Zivilgesellschaft ist etwas anderes als die Übernatur. Wenn die Bedeutung des Menschen im Weltganzen der Gottzentriertheit vorgezogen wird, passiert es, dass die Gesellschaft einmal dieses und einmal jenes postuliert. Dann ist Humanität wirklich nach dem Motto des Philosophen Nietzsche „O Humanität, o Blödsinn", relativiert.

In diesem Kontext drängt sich eine Frage an den historischen Islam auf: sind Muslime für den Fortschritt zugänglich? Warum konnte der islamische Rationalismus in der islamischen Geschichte keine Wurzeln schlagen? Die erkennende Vernunft großer islamischer Philosophen wie al-Kindi, al-Farabi, Ibn Sina, Ibn Ruschd hatte auf die Dauer wenig Aussicht, sich in der islamischen Geistesgeschichte durchzusetzen. Bereits im islamischen Mittelalter waren sie angefeindet. Das interkulturelle Philosophieren liegt dem politisierten Religions-Despotismus überhaupt nicht. Indes darf Religion mit Philosophie nicht kollidieren, dieser Crash wäre unlogisch.

Die geläufigen Religionen lassen Gott allein handeln. Vom Geschöpf wird nur mehr gefordert, sich in den Staub zu werfen. Da die Allmacht alles von oben herab tut, steuere sie die Menschen auf eine Art, wie diese selbst gerne mit einer Modelleisenbahn spielen würden:

sie wollen immer selbst regeln. Vor lauter Anonymität kommt Angst auf. Die Begehrlichkeit im Christ-Sein ist eine andere. Da ist das Göttliche viel verschlüsselter, als dass es nur als Demiurg mit einem Diktat über der Schöpfung steht. In ihr hat jede Person ihre besondere Stellung, sowohl in der gerade gelebten Wirklichkeit als auch in der Zukunft. Niemand kann ohne einen persönlichen Bezug zum Schöpfer bestehen. Diese Beziehung hat Bedeutung. Wenn die Realität immer bei uns dabei ist, wäre es sinnlos, dass sie ein Ende hätte.

Wenn die Christologie über Allmacht reflektiert, erkennt sie ein unumstößliches Prinzip. Es definiert sich mit dem allzu oft strapazierten Begriff der Liebe, die mehr ist als nur ein Gefühl. Sie ist nicht etwas lieblich Nettes, sondern heißt Entscheidung. Sie geht von einer Autorität aus, die im Menschen zu einer eigenen Bewusstseinsform wird. Darauf wäre der Mensch selbst nie gekommen, nicht einmal über Propheten. Sie ist ganz und gar nicht menschenerdacht. Das Grundlegende kommt von außerhalb der Welt. Es heißt, zu Beginn des Lebens war die Liebe, noch vor der Leistung. Und sie ist etwas Kräftiges, Stärkendes.

Übersteigt dies das menschliche Denkvermögen? Das Erkennen wird verlangt und mit ihm die Erkenntnis. Nach der christlichen Vorstellung hat sich das Göttliche nicht auf seine Selbstvollkommenheit zurückgezogen. Der Volksmund nennt so etwas ‚sich vertschüssen'. Es wäre einfach unerreichbar weg. Doch es kommt anders, das Göttliche verteilt sich höchstpersönlich. Deswegen wurde der Bund mit dem Menschen geschaffen. Dieser Gott hat etwas mit jedem/r Einzelnen zu tun, er findet sich im Bewusstsein eines jeden Individuums. Der Theologe Józef Niewiadomski resümiert: „Der letzte Grund der Wirklichkeit ist nicht das Individuum, sondern ein nicht auf sich selbst bezogener Gott. Die Logik des Glaubens ist, dass Gott zu einem

Kommunikationspartner wird."

Das Glauben ist die Quintessenz dessen, was man aus dem Sinn entnimmt. Das Göttliche, das immer weit mehr ist als alles andere, spricht nach christlichem Verständnis den Menschen an und lässt sich von ihm zurück ansprechen. Und wenn es im Prolog des Johannes-Evangeliums heißt, „alles ist von Demselben gemacht und ohne Demselben ist von allem nichts", ist es Grund genug, spirituell nicht verstopft zu bleiben. Undurchlässigkeit ist eine schlechte Prämisse, bejahende Gedanken aufzunehmen.

Der Mensch zählt auf Selbsterhaltung. Die einzelne Person ist schon sehr auf sich selbst angewiesen, macht vieles allein, auch wenn sie mit anderen gemeinsam agiert. Im Endeffekt ist sie nie auf sich allein gestellt. Bei aller notwendigen Eigenverantwortung werden die Handlungen von außen mitgeschoben. Menschen, ja die gesamte Menschheit verspürt dies. Nur ist niemand primär imstande, etwas damit anzufangen.

Das „Mehret euch ihr Völker“, hat gigantische Ausmaße angenommen. Unter seinen Tragflächen birgt es den Genius des Menschen in all seinen Entwicklungsformen, zum Guten als auch zum Negativen. Die unendliche Schönheit liegt in der Vielfalt, die noch nicht begriffen wurde. Die Erde ist in sich explodiert, so wie einst das Universum. Urgewalten prallen aufeinander, Vulkane, Meere, so auch Liebe und Hass. Nur vom Hass darf man sich nicht wegschwemmen lassen.

Das Dringende ist vom Drang nach dem Erkennen beherrscht. Jede/r bewältigt es auf die eigene Art und Weise. Es liegt letztlich an uns selbst, ob wir die Begegnung mit dem Göttlichen personifizieren wollen. Eine der tragfähigsten Aussagen für die Menschheit findet sich in der Bergpredigt des Neuen Testaments. Sie vermittelt die Lebensordnung, dass niemand allein gelassen ist. Die ständige Anwesenheit des Göttlichen entspricht der Erwartung des Menschen. Diese Weisheit ist auf das Subjekt ausgerichtet und empfiehlt, auf diesem Fundament zu bauen.

Es ist nicht gut, sich ausschließlich in weltliche Zwänge pressen zu lassen. Was würde sich tatsächlich abspielen, wenn alle materiellen Errungenschaften im nächsten Augenblick weg wären? Es kann plötzlich so viel eintreten, so viel Unerwartetes sich ereignen. Was ist das, ein Ereignis? Wo kommt es her, wo hat es seinen Ursprung? In welchem Verhältnis steht es zum Menschen? Zwar hat der Mensch einen gewissen Einfluss darauf, aber er ist nicht immer Herr der Lage. Sind Ereignisse die Folgen eines Automatismus oder sind sie anderen Regeln zugeordnet? Dem Sinn entspricht die Absicht, sie zu definieren. Es wird aber nur erklärt, unter welchem Licht das Ereignis betrachtet wird. Das Bild im

Spiegel bringt bei unterschiedlichem Licht ein verschiedenartiges Aussehen hervor.

Es ist eine biblische Erkenntnis, dass die Freiheit nicht so weit gehen kann, dass alles erlaubt ist. Vom Baum der schädlichen Früchte des Bösartigen zu essen, betört vielleicht, ist aber alles andere als gesund. Interessant in diesem Zusammenhang ist der etymologische Zusammenhang des lateinischen „malum“ für das süße Symbol des Apfels und gleichzeitig für die magnethafte Anziehungskraft des Bösen. Die Zwietracht weitet sich auf Kain und Abel aus. Ohne das Zusammenspiel, das aus der Schöpfung entsteht, sind wir nicht das, was wir sind. Wir sind auf den übernatürlichen Bezug angewiesen.

Unsere Wertsteigerung beginnt mit dem Staunen. Darauf sollten wir nicht verzichten. Es wäre unerträglich, hörten wir auf, Natur, Weltall, Musik, Wissenschaft oder andere große Dinge zu bestaunen. Das Große ist nicht nur als eine plötzlich entdeckte Einstein-Formel oder als erdachte Bach-Komposition zu erleben. All das ist etwas, das schon vor ihrer Wiedergabe vorhanden war. Die großen Genies erfüllten ihre Kunstwerke. Sie zeichneten dafür, waren aber nicht die Urheber. Es wurde nichts absolut Neues geschaffen. Sie waren nicht selbst die Schöpfer, sie sahen sich als begnadete Werkzeuge. Und sie sahen es auch so. In der hohen Musikkultur der Bachs, Beethovens, Mozarts, Chopins, Verdis etc. gab es ebenso wie in den Stilrichtungen der Malerei die unsichtbare Verbindung der Phantasien. Die großen Künstler waren in ihren Epochen ideenverwandt. Ein ähnliches Phänomen taucht in der Wissenschaft auf, wenn Erfindungen zeitgleich an unterschiedlichen Orten entstanden sind. Daraus ließe sich folgern, dass alles Großartige immer schon lagernd war und nur mehr abgeholt und verfrachtet werden musste.

Das Hochwertige passiert nicht durch eigenes Vermögen als vielmehr durch eine Kraft, die an allen Ecken und Enden des Universums ausstrahlt. Wo Erhabenes produziert wird, profitiert die Kunst als auch die Wissenschaft. Aber auch wo Märtyrertum passiert, sind die Vorstellungen nicht anders geartet. Die Martyrien aus der Geschichte sollen nichts beweisen, lediglich uns einiges erschließen.

Nichts ist zu nichtig, um das Göttliche nicht erkennen zu können. Wenn Verehrung ausgedrückt wird, liegt vielleicht darin die Erfüllung des menschlichen Sinns. Der Lobpreis ist nichts Neues. Immer schon trachtete der Mensch danach, ihm zu entsprechen. Ist uns dieses ursächliche Gefühl des Seins abhandengekommen? Wenn es abgeschwächt wurde, sollte man es wieder reanimieren.

Zu welchem Ergebnis eine derartige Anstrengung führt,

erfahren wir erst dann, wenn wir es persönlich ausprobiert haben. Zu Beginn wissen wir noch nichts Näheres. Das Geschenk der Vorausahnung allein ist schon sehr wertvoll. Dadurch nehmen wir an dem teil, was als Leben bezeichnet wird. Und dann wird das Wissen nicht nur erworben, sondern auch ausgekostet.

Das System-Wesen „Homo Sapiens" weiß, etwas aus sich zu machen. Der „Homo ludens", der „spielende Mensch" sieht sich unter Umständen als das verstehende Wesen, aber nicht immer als das verständige, wenn man auf seine Stammesgeschichte blickt. Einmal an Erfahrung reich geworden, sollte man wissen, wozu das Wissen gut ist, also auch wo der Sinn liegen mag. Wenn nicht, versäumen wir das Leben, vor allem die Zukunft. Sie hat oberste Priorität, ist nicht abstrakt, sie ist schrankenlos faktisch. Darüber ließe es sich gut meditieren. Die Berührung des Übernatürlichen beginnt mit der Lobpreisung.

Wer sehnt sich nicht das Wertvolle am Design des eigenen Lebens herbei? Es ist nicht nur spürbar, es ist vor allem sichtbar. Es lässt sich durchdenken. Die Prophetien haben sich längst verselbständigt, sie wurden zu nüchternen Eindrücken. Die sogenannten Enthüllungen, Apokalypse genannt, bedeuten nicht allein Bilder des Schreckens. Für das Christentum sind es Enthüllungen des Göttlichen und somit auch Anzeichen des Trostes. Es muss ja nicht so kommen, wie im Vorhinein befürchtet wird. Die Schlussfolgerung schilderte bereits das Alte Testament, als eine Stadt namens Niniwe hätte vernichtet werden sollen und dann doch gerettet wurde. Und im Neuen Testament lautet der Tenor „Ich bin nicht gekommen aufzulösen, sondern zu erfüllen.“ Die theologischen Grundgedanken richten sich auf eine Gemeinschaft der Vollendeten aus.

Unübersehbar ist allerdings auch, wie der historische

Ablauf sich abzeichnet. Die unterschiedlichsten Szenarien des Selbstzerstörerischen werden durchlaufen. Sie färben auf die Gegenwart ab. Wir erfahren es ständig. So schließen wir aus den Interpretationen des Kalten Kriegs des 20. Jahrhunderts, dass die Gefahren eines nuklearen Desasters noch lange nicht gebannt waren. Die weitere Entwicklung liegt immer noch in menschlicher Hand. Bedrohlicher als die Kriege zwischen Regionen dieser Welt sind die Kriege zwischen den Mustern an Aggression selbst. Am unerträglichsten sind jene, die gegen die Gesamt-Gesellschaft gerichtet sind.

Die Realpolitik erinnert sehr schnell daran, wie unversehens Demagogen auftauchen und an die Schalthebel der Macht gelangen. Wenn heuchlerisch verneint wird, dass Fassbomben auf eine Bevölkerung abgeworfen werden oder Chlorid-Angriffe stattfinden, ist das genauso ein Symbol für das Böse im Universum wie die bestialische Vorgangsweise von Terrormilizen. Die Beispiele sind Legion. Die Dämonie des Bösen schläft nicht. Von Friedrich Nietzsche wurde sie als Konstrukt christlicher Sklavenmoral abgehandelt. Ist denn nicht im alten Rom die Sklaverei gerade vom Christentum verbannt worden? Das Böse ist keine Auslegungssache. Hinter ihr steckt die Magie vom Widerstreit der Moral gegen die Amoral. Sie wurde zum Gegenstand von Philosophie und Kunst, ebenso wie Thema der Gehirnforschung und der Soziobiologie.

Der Verhaltensforscher Konrad Lorenz ging davon aus, dass der Aggressionstrieb in der biologischen Struktur bereits eingebaut ist. Die archaischen Elemente des menschlichen Verhaltens sind beachtliche Komponenten des gesellschaftlichen Verhaltens. Die Gesellschaft teilt sich nicht unbedingt in zwei Hälften, Gute und Böse, sie drittelt sich in Gute und Böse und die Guten in solche, die das Gute erkennen und solche, die nicht wissen, was das Gute ist. Vielleicht ist das Böse sogar vielgestaltiger als das Gute. Dem Menschen wird es nicht gelingen, es gänzlich abzuschaffen.

Das Verdrängte könnte mit geballter Kraft zurückschlagen. Warum das so ist, bleibt dem menschlichen Verstand verborgen. Mancherorts findet man den Ausdruck der drei Finsternisse: Aberglauben, Verdrossenheit und das Böse. Der Psychiater und Philosoph Karl Jaspers bezeichnet die Unwahrheit „als das eigentlich Böse, das jeden Frieden Vernichtende". Es stimmt somit auch, dass der Mensch durch eigenen Entscheid gut oder böse wird.

Die Macht des Bösen wurde grundsätzlich früh angekündigt. Sie wird kaum in einem unveränderlichen Schicksal liegen. Sie lenkt schon sehr stark in die Phänomenologie der Besessenheit. Unterm Strich sollte es uns nicht wundern, dass dies und jenes geschieht.

Irgendjemand sagte einmal, „der Konflikt zwischen Gut und Böse ist Teil der menschlichen Natur, ein Bestanteil des täglichen Lebens. Wer das nicht begriffen hat, lebt atemberaubend naiv, aber auch riskant. Er leidet und weiß gar nicht, worunter er leidet". Beim Kirchenlehrer Augustinus von Hippo heißt es, dass die Spannung der Antagonismen von Gut und Böse erst nach diesem Leben sich lösen wird.

Der Mensch hat nicht aus sich heraus die Fähigkeit, das Negative zu limitieren. Von der Übernatur kommt die Mahnung zur Resistenz. Nach der christlichen Anschauung ist das Satanische nicht absolut mächtig, weil es etwas Geschaffenes ist. Der Sieg liege demnach in der unendlichen Macht des Göttlichen, das nicht Geschöpf, sondern Schöpfer ist. Wie wird sich das Individuum die eigenen Strategien konzipieren? Nicht Wehmut am Vergangenen, sondern die Vorfreude auf das Zukünftige sollte Programm sein. Dazu ist die

Neukonfiguration unserer überforderten Festplatte des ‚Ich', notwendig geworden. Eine andere Sicht der Dinge zu bekommen, wäre nicht schlecht. Voraussetzung ist die geistige Gewissheit, dass wir uns nichts vormachen. Auf was sollten wir uns sonst einlassen?

Es ist nicht verkehrt, dass in der Gefahr die Zuversicht zu wachsen beginnt. Das Gedächtnis verliert auch nicht die Angst oder das Phlegma. Welche von den drei Methoden Angst, Phlegma, Zuversicht ist wohl die beste? Was immer an Emotionen in uns hoch kommt, es wäre nicht schlecht, sie unter Kontrolle zu halten. Bei aller Diversität befinden wir uns letztlich auf diesem Planeten wie auf einem gemeinsamen großen Schiff. Wir können es uns leisten, nicht zu verzweifeln, weil wir über das Glauben verfügen können.

Der Sinn des Todes und des Lebens bleibt der allgemeinen und der besonderen Weisheit erhalten. Wir brauchten ihn bloß zu akzeptieren. Es wäre vermutlich die bessere Lösung, als sich wegzuwerfen. Als Menschen neigen wir dazu, die Macht der Dinge zu suchen und trotzdem die fiktive Eigenmacht anzubeten. Manche kommen gar nicht auf die Idee, dass dies auf einer Illusion beruht.

Wie müssten aus den abstrakten Begriffen konkrete Formen gestalten. Wir brauchen die Wahrheit nicht erst erfinden. Sie ist seit eh und je da. Sie wurde uns unmissverständlich angeboten. Das Glauben darf reifen. Ein authentisches Bemühen verlangt, dass man an bestimmten Dingen nicht vorbeikommt. Daher wird ständige Aufmerksamkeit notwendig sein. Die Rückkoppelung macht sich bezahlt.

12. FURCHT ODER HOFFNUNG

Augen zu und auf das Prinzip Hoffnung bauen, das hat so noch nie funktioniert. Auf die Erwartungshaltung kommt es an und darauf, wie kompatibel die subjektive Einstellung zur Wirklichkeit ist. Daher wäre es nicht schlecht, sich mit den metaphysischen Zusammenhängen näher zu beschäftigen. Sie sind nicht nebulos und sie ins weltliche Leben einzubauen, bedeutet nicht, gleich bigott zu erscheinen.

Die Ideen von Freiheit und Menschenrechten beschäftigen jederzeit und überall die Zivilgesellschaft. Für die autoritären Systeme fühlen sie sich beengend an. Dass Diktaturen die Christen und ihre Kirche nie mochten, ist evident und zugleich ein alarmierendes Zeichen für jede Gesellschaft. Alarmierend bedeutet: es darf nicht dabei bleiben, was niemanden gleichgültig lassen kann.

Drohszenarien bieten sich leicht an, sei es in den virulenten Hasspotenzialen, aber auch in Naturkatastrophen oder in den sozialen Unruhen. Wie reagiert eine Zivil-Gesellschaft darauf? Mit seinem Background als Physiker spürte der Theologe Bernhard Philberth den Metaphern der Apokalypse nach. Er prüfte die Deutung der „sieben Posaunen“ in den Reichweiten eines Krieges. Mit den „sieben Zorn-Schalen“ erklärt er die Langzeitwirkung. Übrigens wurden die blutigen Kriege immer schon vom Menschen kreiert, sie waren keine Folgen von Naturereignissen. Auch die ökologischen Verwüstungen sind oftmals menschenfabriziert. Also hat sich die Menschheit in ihrer Ganzheit am Riemen zu reißen.

Manche sehen in der Apokalypse ein Event mit allerletzten Konsequenzen, andere eine Art Reinigung.

In beiden Fällen würde etwas Neues entstehen. Abgesehen von den Prophetien erlebt die Menschheit immer wieder spontan und detailliert Katastrophen verschiedenen Ausmaßes. Der Mensch ist aufgewühlt, wenn er sieht, wie Häuser einstürzen, Straßen weggeschwemmt werden oder Epidemien sich ausbreiten. Kriege löschen Völker aus, Katastrophen vernichten ganze Kulturlandschaften.

Dem einzelnen Individuum könnte die Apokalypse der Welt schließlich egal sein, da es seine ureigene Apokalypse soundso persönlich am Ende seines Lebens durchmacht. Das schlimmste Unglück ist immer dasjenige, das subjektiv erlebt wird und nicht das, was der anonymen Menge zustößt. Die Apokalypse findet uns alle, wir haben sie durchzustehen. Wir begegnen ihr mit Furcht oder mit Hoffnung. Wir stoßen auf eine reale Unbestimmtheit. Sie wird sich bestimmt ereignen. Sie steckt in unserer Realität. In ihr wohnt die Gegenwart des Übernatürlichen. Sie besteht in unserem Alltag, wird aber nicht vom Klein-Klein, sondern vom umfassenden Ganzen ausgefüllt.

Deswegen versuchen wir, die Sehnsucht an erste Stelle zu setzen, gerettet zu werden. Keinesfalls wollen wir dabei vereinzelten werbepsychologischen Slogans zum Opfer fallen. Wer ist schon so ungeschickt und möchte die Wirklichkeit leugnen. Auch will sich niemand in merkwürdige Parallelwelten verführen lassen. Genauso wenig rational erscheint die Interpretation, dass ein Racheakt Gottes das Spiel beenden könnte.

Das Leben und die Leidenschaft dafür sind an etwas Bestimmtes und Zukünftiges gebunden. Es nimmt das Glauben in Anspruch. Wo sind die Krafträuber, wo die Kraftspender? Vernachlässigen wir also die Seele nicht. Wir könnten das Wesentliche stets neu erlernen. Inwieweit sind wir disponiert, in die Begegnung mit dem

Übernatürlichen zu treten? Das Individuum erhält die Chance, in sich hineinzudenken. Es kann entspannt und doch voll konzentriert sich in die Beziehung zum Absoluten wagen, so als ob es das erste und letzte Mal wäre. Eine der Stufen zu dieser Qualität ist durch die Verehrung zementiert. Die Religion definiert sie als Anbetung. Wer es nicht tut, kennt möglicherweise sich selbst noch zu wenig.

Die Enthüllung der Geschehnisse erklärt, dass nicht die Allmacht sich vom Menschen abwendet, sondern der Mensch vom Göttlichen. Inmitten seiner Selbsttäuschungen könnte der Mensch zumindest auf die Signale achten. Immerhin will er ja befreit werden. Die Aussicht bleibt offen, inwieweit Erfüllung und Heil ins Programm passen. Die christliche Meditation setzt darauf, hinzuhören. Zuhören schließt ein, auch zwischen den Zeilen zu lesen. Ist es zu viel verlangt, die selbstgestrickten Vorstellungen beiseitezulegen? Die

Allmacht hat möglicherweise dem Individuum etwas zu sagen. Letztlich sollte die Apokalypse mit dem Sieg über die negativen Kräfte enden.

Das irdische Schlammassel türmt sich von unten auf. Es kommt aus dem Angstpotenzial des Menschen hervor. Es wäre doch nicht schlecht, wenn die Menschheit aus dieser Misere gezogen werden könnte. Wie sonst sollte sich eine unbekannt lohnende Zukunft erfüllen. Die Sinne jedenfalls lassen sich darauf ausrichten. Es gibt Dinge, die muss man erleben und erfahren. Es gibt aber auch solche, die vorerst nicht erfahrbar sind. Über die muss man nachdenken. Da gilt es, nicht partiell zu denken, auch nicht parallel, sondern ganzheitlich. Außergewöhnliche Einflüsse stehen an. Vielleicht werden neue, besondere Töne sogar vernommen. Es gibt Dinge, die hört man zwar, aber sie sind nicht greifbar sie, wenn die Reife noch nicht erreicht ist.

13. NACHGEDACHT

Die Techniken der Meditation verhelfen zu mehr Konzentration und Selbstkontrolle. Die Orientierung am „Nichts-Wollen-Wollen“ hilft, Entspannung statt Spannung aufzubauen. Es geht um das „Nicht ich will, sondern es will.“ Mit der Beruhigung der eigenen Potenziale ist die Meditation ein gutes Werkzeug in stressbeladenen Berufen. Seit langem schon wird sie begleitend in der Rhetorik und auf Gebieten der dialektischen Auseinandersetzung praktiziert, bei denen es auf die Beherrschung der Selbstkontrolle besonders ankommt.

Dann gibt es noch die andere Art der Meditation, die der Kontemplation. In ihr wird konzentriert das betrachtet, was die eigene Rolle im Dasein ausmacht. Das spirituelle Meditieren ist kein geistiges Schlafenlegen. Das eigene

Ich wird nicht kurzerhand abgeschaltet. Es ist auch nicht das klangliche Spiel, den Urlaut eines „Om“ hinauszupressen. Ohne Bezug zu einer höheren Kraft helfen Entspannungstechniken allein kaum, die eigene Persönlichkeit zu festigen. Ohne Sinnsetzung stehen sie ungeschützt im freien Raum.

Sich vom Denken loszusagen, macht tendenziell krank. Nichts denken, geht in die verkehrte Richtung. Meditative Sitzungen, die sich rein an psychischen Maßstäben orientieren, erfüllen kaum die Erwartungen des Seelischen. Da heißt es, tiefer zu schürfen. Wenn dem Menschen das Geistige zur Verfügung gestellt wurde, warum sollte er es dann nicht benutzen? Es werden also Inhalte in Beziehung zur Übernatur meditiert. Wird das Selbstverständnis auf diese Weise gepflegt, müssten Christen ja verrückt sein, nicht an Gottesdiensten zu partizipieren. Damit verstricken sie sich ganz und gar nicht, wie vermutet wird, in

Paragraphen und deren Übertretungen. Es kann nur gewinnbringend sein, mit dem Übernatürlichen zu kommunizieren.

Der Sinn ist ein Stimulus für Individuen, zu sich selbst zu finden. Er beruhigt, mehr noch, er festigt. Problematisch wird es, wenn keine Zeit zur Bindung an das Metaphysische bleibt. Killerphrasen am eigenen Status wie „Was nützt es mir?“ oder „Das interessiert mich nicht“, machen die Argumentation von vornherein mundtot. Wenn die Emotionalität zum Übernatürlichen nachlässt, beginnt der verräterische Egotrip. Die innere Spaltung setzt sich fort.

Alles, was sich verändert, kreist um eine ganz andere Mitte. Diese ist unveränderlich. Spirituelle Meditation wird so kostbar, weil sie die Bejahung der eigenen Seele erschließt. Der Kern des Individuums braucht eine gewisse Distanz zu sich selbst, zu aller Art von Gefühlen, ohne dabei auf sich zu verzichten. Wenn das Glauben innere Ruhe bieten oder Kraft generieren soll, funktioniert es nicht nach einem Do-it-yourself-Verfahren. Es ist nicht gleichgültig, was geglaubt wird.

Die gültigen Perspektiven entwickeln sich aus den persönlich gemachten Erfahrungen weiter. Sie werden wohl kaum der eigenen Logik widersprechen. Nur, wie konstruiert sich die eigene Logik, wenn sie entweder das Chaos oder die Struktur von Liebe umreißen soll? Zum religiösen Meditieren gehört das Ja-sagen zu den eigenen Gegensätzen. Was einen zu zerreißen droht, wird zum bestimmenden Kreuz im jeweiligen Leben. C.G. Jung, Begründer der analytischen Psychologie, meint: „Wer den Mut hat, er selbst zu werden, der erfährt, dass die Selbstwerdung ein Kreuztragen ist“. Es wird immer deutlicher, dass der Mensch über das Mühen sich verwirklicht.

Die menschliche Kleinheit mit all ihrem Elend bekommt die Chance, im Übernatürlichen groß zu werden. Das ist keine Verschmelzung, sondern eine Veränderung auf das Positive hin. Das System, das auf die Geburt des Christus folgte, gibt die Anreize. Es gibt Sachen, die kann man nicht erfinden, sich ausdenken oder planen, man muss sie einfach annehmen.

Natürlich erweckte der neue Modus sofort Widerstand. Bekanntlich passten zu dem damaligen Geburts-Event weder Luxus noch Heidentum. Armut wurde sogar zu einem vorbildlichen Prinzip. Trotzdem sollte man davon ausgehen, dass auch die sogenannten Reichen nicht von vornherein ausgeschlossen sind. Sie bekommen ihre Chance im Essenziellen, selbst wenn das biblische Gleichnis vom Kamel und dem Nadelöhr sehr eindringlich mahnt. Nadelöhre waren im Altertum und später im Mittelalter die engen Durchgänge in Stadtmauern. Die Tore, die durchschritten wurden, hatten eine große Bedeutung. Strategisch hatte die Enge ihren Vorzug. Genau dort konnte am besten kontrolliert werden. An einem Engpass wird viel Aufmerksamkeit darauf verwendet, was durchgelassen wird und was nicht.

An solchen Engpässen bekommt die Begrifflichkeit des Reichtums einen eigenen Anstrich. Nicht der Reichtum macht den Menschen schlecht, sondern der Mensch den Reichtum. Dafür ist er verantwortlich. Dem Mammon darf der Mensch nicht dienen, heißt es in der Bibel. Die Verehrung der falschen Sache wäre Götzendienst. Besitz darf auch nicht Eifersucht auf den Plan rufen. Doch sind Geldmittel manchmal durchaus notwendig, um verschiedene Kreisläufe stabil zu halten. Vermögen kann sich sogar als ein wesentlicher Faktor erweisen, um zu helfen. Nicht mit Pomp, aber mit Reichtum kann man viel Gutes tun. Das Lebens-Glück liegt weder im sterilen Überschuss an Geld noch in der Anhäufung von Macht.

Es gibt ja auch den Reichtum an Gesundheit, an Wissen, vielleicht sogar an Glück. Negativ aufgeladen ist nicht der Begriff ‚Reichtum' an sich, sondern das Übermaß und der Missbrauch. Überflüssiger Reichtum ist eben überflüssig, ja ungesund.

Im gleichen Maße ist Armut nicht gleich Armut, sie ist bekanntlich relativ. Ein ärmlich situierter Bürger in Westeuropa ist immer noch reicher als vergleichsweise ein Bewohner der Sahelzone. Es kann also nicht bedeuten, dass jemand, egal wo auf der Welt, nicht nach Besserem streben dürfe. Das Evangelium des Christentums fordert sogar dazu auf, die eigenen Talente bestmöglich zu nutzen. Wozu wurden dem Menschen all die Gaben gegeben? Zur Verwendung oder zur Verschwendung?

Es gibt die Verschwendung des Vermögens, der Lebensmittel, an zerstörter Natur und sogar die

Verschwendung der philosophischen Dummheit.
Die Maxime, Bedürftige immer zu unterstützen, darf nie aufgehoben sein. Diesen Aspekt haben sich auch andere Religionen zu Eigen gemacht. Je näher die unteren Schichten des Netzwerkes der Menschheit nach oben geführt werden, umso gesünder wird die Gesellschaft sein. Zusätzlich wird mit diesem Postulat ein politischer und volkswirtschaftlicher Grundsatz erfüllt. Es gibt nur eine einzige akzeptable Schlussfolgerung und die heißt Teilen. Es bedeutet ein Sich-Weiterschenken und erschöpft sich nicht in den rudimentären Tipps, Erspartes zu horten.

Ein Schwachpunkt ist die Abhängigkeit. Sie betrifft den Zustand der Armut genauso zu wie den des Reichtums. Beide Arten von Fesseln führen in die persönliche Unfreiheit. Ob arm oder reich, man müsste sich nur vom Zwang lossagen können. Er macht sich durch Gier, Korruption und Ausbeutung einerseits, Aufgeben,

Fatalismus und Müdigkeit andererseits bemerkbar. In der Resignation liegt eine große Gefahr. Vor dem Missstand die Augen zu verschließen, gehört genauso zum Infamen, wie sich in Trägheit aufzugeben. Beide könnten als Sünde firmieren. Genau genommen liegt die Ursache unserer Sorgen in der Unfähigkeit, loslassen zu können, loslassen von der süchtigen Machtutopie und loslassen von der apathischen Passivität.

Zahllos sind die Zustände auf dem Erdenrund, die inakzeptabel sind. Wenn heute Menschen verhungern, Kinder geblendet oder geschlagen werden, damit sie besser betteln können, sind nicht nur einige wenige dafür verantwortlich. Eine Gesellschaft, die solches ignoriert, macht sich in ihrer Gesamtheit der Unmenschlichkeit schuldig. Es ist nicht zu verleugnen, dass die Sklaverei neue Formen angenommen hat. Die Ausbeutung von Arbeitskräften in autokratisch beherrschten Regimen ist so eine Geisel der heutigen

Zeit. Wie will man sonst manche Löhne bezeichnen, wenn bei knappstem Monatslohn bis spät abends gearbeitet werden muss, um für dreiste Mieten einen kleinen Raum bewohnen zu dürfen. Ungerechtigkeit rumort bis tief in die Politik und Wirtschaft hinein.

Offensichtlich haben sich die Grundsätze der Ethik nicht überall herumgesprochen. Auch in Politik, Wirtschaft und nicht zuletzt in den Medien fehlt das ultimative Bewusstsein, dass der Umgang mit den Mitbürgern am effektivsten gestaltet wird, wenn sie aufgewertet und nicht abgewertet werden. Sie zu manipulieren, ist nicht die beste Lösung. Von jenem Jesus weiß man, dass er die Menschen nie abwertete, schon gar nicht diejenigen, die von der Gesellschaft als wertlos abgestempelt waren. Er geht gerade zu den Gebrochenen und Armen hin und zeigt auf, dass alles seinen Sinn hat, der im Metaphysischen verborgen liegt. Selbst der namenlose Ganove nebenan am Kreuz erhält in der Stunde seiner offenkundigen Bekehrung das Privileg, sofort in die Nähe Gottes aufgenommen zu werden. Die Sensation der göttlichen Barmherzigkeit ist weit mehr als ein tiefschürfendes Symbol, wenn man bedenkt, dass ein Symbol das beschreibt, was nicht vorstellbar, aber trotzdem real ist.

Damit muss man sich einmal auseinandergesetzt haben. Im Rückblick an die damaligen Ereignisse erschreckt es, dass dieser Jesus Christus abgeurteilt wurde. Umso unerträglicher wirkt die Historie, wenn Menschen zunächst das Charisma eines „Menschensohnes“ feiern, später ihn dann verhöhnen, foltern und töten. Dies ist immerhin dokumentierte Geschichte. Noch unfassbarer erscheint es der menschlichen Einfalt, dass trotz des Geschehenen Verzeihung angeboten wird. Die Botschaft ist bekannt: „Er nahm das Kreuz auf sich, nicht weil er leiden wollte, sondern aus Liebe“. Das Großartige an der Erlösung ist, dass sie trotz der Widerwärtigkeiten geschieht. Jede Wirkung hat ihre Ursachen.

Wie gestaltet sich also der Weg zu einem neuen Qualitäts-Management unseres persönlichen Seelenlebens? Die Veränderung findet sich in einem Change der eigenen Spiritualität. Die Neugierde muss in einer angespannten Aufmerksamkeit wach bleiben. Wir können es uns leisten, die Schlaffheit des Denkens zu überwinden. Kreativität und Urteilsvermögen spielen da nicht mehr so sehr die Hauptrolle als die Perzeption, die Auffassungsgabe und die Apperzeption, die Vorwegnahme. Dazu ist es notwendig, stets aufmerksam auf das zu sein, was auf uns zukommt. In der Wirtschaft und in der Wissenschaft stellt sich der Erfolg über die Verbesserung der Denkmodelle ein, im Glauben über die Verbesserung der Harmonie. In der schnelllebigen Zeit werden wir auf Beständigkeit zu achten haben, nicht zu verwechseln mit Nachhaltigkeit, die eine andere Forderung an die moderne

Zivilgesellschaft darstellt.

Zu den bestimmenden Faktoren des persönlichen Lebens zählt das Bemühen, gegen das Phlegma anzukämpfen. Dazu brauchen wir eine gute Pflege unserer Einstellungen und der Seele. Gegen die Massenresignation hilft vielleicht ein Coaching. In diesem Fall kommt es aus dem Fundus der Religion. Der Mut zur Eigeninitiative soll zum Wachsen gebracht werden. Tu es oder lasse es, nur ein vorübergehendes Ausprobieren gilt nicht. Vielleicht macht es sogar Spaß herauszufinden, wer wir sind, wofür wir stehen, worin der Lebenszweck besteht.

Die Veränderungen beginnen im Kopf. Das Portfolio an Leidenschaft erfordert ein wenig Kompetenz, vor allem aber Entschlossenheit. Erneuert wird, weil das Überholte sich abgenützt hat. Wenn wir in uns gar nichts verändern wollen, werden wir überrollt und möglicherweise ins Nichts weggespült. Scrollen wir in den Texten der Bibel, werden wir damit konfrontiert, Vertrauen aufzubauen. Die Bibel ist keine Enzyklopädie von Theorien. Es sind Erfahrungen und Begegnungen, die uns vorgeführt werden.

Es heißt doch so lebensklug, das Evangelium können wir uns nicht selbst machen, es wird uns gebracht. Wir empfangen es, wir hören es uns an. Bei Hieronymus, einem Gelehrten der alten Kirche, heißt es, „wer die Schrift nicht kennt, kennt Christus nicht“. Richten wir uns wirklich nach dem Vertrauen? In dieser Art von Vertrauen wird nicht die eigene Verletzlichkeit erhöht. Im Gegenteil, es könnte die Stärke produzieren, die imstande ist, die Ungewissheit zu überwinden. Es gäbe genug visionäre Symbole im Angebot. Wir tun uns nur in der Umsetzung so schwer. Wenn wir auf der Suche nach den letzten Wahrheiten sind, werden wir sie mit der Optik des Diesseits kaum ausfindig machen. Es schließt sich der Kreis der alten Weisheiten.

Berührt es uns nicht, wenn wir die Unglaublichkeit unserer Existenz entdecken? Wenn uns der Zugang fehlt, werden wir allerdings wenig erfahren. Das Neue und Unfassbare kennenzulernen, wird uns nicht über einen Trichter vermittelt. Es gehört dazu, sich damit zu beschäftigen. Das ist die Minimaldisposition der Herangehensweise an das Glauben. Das Wissen um das Ganze übertragen diejenigen, die sich damit beschäftigt haben, die es erlebten. Sie erweisen sich als gute Begleiter und helfen in vielen Details des komplexen Geschehens. Darüber hinaus haben wir unsere persönliche Erfahrung in den eigenen Erlebnissen zu machen. Die Verwirklichung des Positiven ist unvergänglich. Da kann man schon neugierig werden.

14. SINN UND WAHRHEIT

Entwicklungen sind immer spannend. Nur darf das Gefährt der Erkenntnis nicht ins Chaos rollen. Jede provisorische Stabilisierung wäre brüchig. Das Innere des Individuums muss Halt finden. Wohin driften wir? Vanitas und mit ihr die Prahlerei werden immer wieder dazwischen funken. Unbequeme Wahrheiten empfindet der Mensch oft als nicht annehmbar. Deswegen greift er zur Lüge. Stets ist irgendetwas oder irgendwer schuld. Ungewohnte Effekte stellen sich ein. So manches eignet sich nicht zur Lüge, beispielsweise das Erbgut, die DNA der Seele. Die Erschließung des Bewusstseins ist einem bestimmten Programm nicht vorenthalten.

Der Verstoß gegen die Wahrheit ist unentschuldbar. Im Rausch des Herumspielens wäre es schon gut, sich selbst nicht zu wichtig zu nehmen. Zwar sind wir so projektiert, dass wir immer mehr wollen. Positiv ausgedrückt heißt dieses Phänomen Sehnsucht. In letzter Instanz ist sie auf das Übernatürliche ausgerichtet. Die Absage an das Aufbegehren gegen das Übernatürliche ist nicht verhandelbar. Die Vergänglichkeit des Irdischen erinnert an die Ohnmacht des sich empörenden Menschen. Das Ergebnis erfassen wir mit unserem Gewissen. Das höchste Ziel wird sein, sich an das Unbegreifliche anzukoppeln. Hat die nutzlose Empörung einmal nachgelassen, erkennen wir sehr schnell, welch unaussprechliche Verantwortung der Freiheit zum Glauben innewohnt. Es geht um Wahrheiten der Existenz. Das verspricht einiges. Es öffnet sich ein ganzheitlicher Horizont, an dem der Mensch den Sinn des Lebens erkennen sollte.

Der Status-quo schränkt den Gesichtskreis zwar ein. Darum wird das Vertrauen in das gesetzt, was außerhalb des Kreises liegt. Der Mensch braucht sich nicht zu fürchten, denn er ist fähig zu glauben und damit auch zu argumentieren. So gesehen dürfte das Glauben gar nicht so schwierig sein. Wenn wir uns mit dem, was wir glauben, auch beschäftigen, wird es uns verändern. Was beeinflusst uns mehr, die Vorzeichen für die Flucht oder die für die Veränderung? Es genügt nicht zu glauben, was wir glauben wollen. Wir sollten die Wahrheit glauben und zwar unabhängig davon, ob sie schwer zu verdauen, beruhigend oder trivial erhebend ist. Wenn sie vom Menschen verzerrt wird, schwillt sie zum psychischen, mentalen, ja existenziellen Problem an. Die eigentliche Wahrheit will ausgelotet werden.

In sämtlichen Teilgebieten der Wirtschaft spielt der Terminus Mehrwert eine gewichtige Rolle. Analog ließe sich in der Philosophie hinterfragen, was grotesker Glaube oder Atheismus an etwaigem Zusatznutzen hergeben. Wir glauben nicht richtig, wenn wir glauben,

glauben zu müssen, dass es göttlicher Wille ist, wenn wir irgendetwas nach unserem Gutdünken tun. Es ist unsere höchstpersönliche Entscheidung und das Ausweichen aus der Verantwortung gilt nicht. Der Mehrwert liegt an unserer Entscheidung, egal ob er erreicht oder verpasst wurde. Doch wie entscheiden? Wenn der Atheismus keine Antworten auf die letzten Fragen geben kann, wozu also einem unattraktiven Angebot nachhängen? Das Basis-Investment wird aus der authentischen Sichtweise, die der Wahrheit am ehesten entspricht, gespeist.

Der Aufruhr gegen das Absolute spiegelt sich in der Widerrechtlichkeit zum Natur-Gesetz. Wir Menschen sind ambitioniert genug, uns zu weigern anzunehmen, wir seien nur ein vorübergehender Zustand einer bestimmten Lebenskonstellation. Glaubt der Mensch an wertlose Ideale, driftet er unweigerlich in die Ungewissheit ab. Dann landet er auf der Piste einer blinden Ohnmacht und Nervosität. Er gerät ins absolute Burn-out der Sinne. Überspannte Attentäter oder Selbstmörder zeigen es der Welt, wie man sich an groteske Vorstellungen klammern kann. Frustrierte Pseudo-Wissende tun ihr Übriges, um das Düstere zu erhalten. Willkommen in der Welt der Verschwörungstheorien der unterschiedlichsten Sekten – in ihnen finden sich sämtliche Realitätsverweigerer.

Wer vermittelt nun die letzte Wahrheit dem Menschen? Greifbar erscheint sie dann, wenn sie aus der Erfahrung erklärt wird. Der Erfahrungs-Austausch schafft neue Erkenntnisse. Sie sind mehr als nur ein Gefühl. Sie leben aus dem real Erlebten und spitzen sich auf Qualität zu. Das verlangt Vorarbeit, meistens eine lebenslange. Die Verantwortung eines tradierten Glaubens hat zusätzlich die Aufgabe, das Erfahrene weiterzugeben. Dort wird uns bewusst gemacht, woher wir kommen und wohin wir gehen. Wo wir uns befinden, ist nicht die Frage von

Relevanz, sondern wohin wir uns bewegen. Die Quellen sind unmissverständlich. Glauben bedeutet auch Bezeugen.

Was wir erfahren, ist durchschlagkräftiger als das, was wir erfassen. Wollen wir es auch erhoffen? Mit der Erfahrung kommt die Intensität des Hoffens. Wenn wir mehr erleiden, hoffen wir auch mehr. Mit der Erfahrung sollte die Angst schwinden und die Furcht wachsen, vor allem die Ehrfurcht. Die Inspiration kommt dann von allein. Das beste Mittel, alles gut zu erleben, ist Vertrauen. Wenn das nicht praktiziert wird, pinkeln wir das Große an. Damit produzieren wir unseren eigenen Super-GAU. Sobald wir ausweichen, weichen wir auch ab. Das Problem liegt nicht im Weiterfahren. Nur die Scheinwerfer sollten sauber sein, dann kann auch viel mehr ausgeleuchtet werden. Vor allem die Bitterkeit und der Zorn fallen ausgeleuchtet besser auf.

Nachchristlichen Verständnis wäre es ziemlich sinnführend, die Inhalte der Bibel mit ihren Gleichnissen zu nutzen. Die Sichtweisen kehren sich mit den darin geschilderten Ereignissen radikal um. Wie erfahren wir nun das Leben? Kein Mensch ist dabei überfordert, wäre da nicht die Last des verantwortlichen Handelns. Bei offensichtlichen Realitäts-Schocks müssen die Betroffenen es selbst in die Hand nehmen, wie die Probleme gelöst werden könnten. Wahrheiten, die Sinn geben, machen frei. Sie gehen übrigens alle an. Sie weiten das Denken und führen zur Weisheit. Weisheit fragt nach den Zusammenhängen. Sie ist der unverwechselbare Umgang mit Wissen. Die Grundwahrheiten wollen verstanden sein. Sie sind unabhängig vom Subjektiven, sie sind nicht erdacht, sondern erfahren. Haben wir nun „auf Fels oder Sand gebaut“? Das Leben veränderte sich.

Die Logik der Wahrheit wurde präsent. Sie setzt sich den

verschiedenen Selbsttäuschungen entgegen. Wer sie sucht, wird sie im gegebenen Moment auch finden. Es wäre verwerflich, sich über die Weisheit lustig zu machen. Selbst Immanuel Kant, Philosoph der Aufklärung, meinte, dass es „für die Menschheit undenkbar ist, nicht metaphysisch, das heißt nicht übernatürlich oder überempirisch zu denken". Es ist faszinierend, wie aus dem Immateriellen zu uns gesprochen wird. Während die menschliche Sprache sich auf das Wort beschränkt, liegt die göttliche Sprache nicht im Wort allein, sie zeigt sich in den Ereignissen.

Eine bloß minimalistische Kost an Metaphysik verursacht lediglich seelische Bauchschmerzen. Wenn wir gute Erkenntnisse präsentiert bekommen oder sonst Wegweiser finden, sollten wir uns glücklich schätzen. Beziehung darf nicht schablonenhaft dahin vegetieren. Gerade zum Absoluten darf sie nicht fehlen. Das schadet dem Individuum, seiner Gesundheit, seinem Sein. Wie finden wir den Anschluss zur Perspektive auf Zukunft? Inzwischen hat auch die Medizin festgestellt, dass immaterielle Kräfte in der Gesundheitsvorsorge ihre eigene Rolle spielen. Klinische Befunde untermauern, dass die Immunzellen des Menschen stark von seiner Psyche abhängig sind.

Wir werden immer wieder auf Testimonials zugreifen. Dazu benötigen wir sie, die Heiligen. Wer sind sie? Wie sehen wir sie von außen, die wir keine Heiligen sind und dennoch ein wenig in ihre Sphäre hineinkommen möchten. Es sind Menschen, die Mut machen und ihn weitergeben. Wenn sie Anhaltspunkte liefern, geben sie damit Kraft und Vertrauen. Das kann Ermutigung genug sein, um im Sein zu bestehen. Heilige sind diejenigen, die besonders intensiv das Transzendente anrufen. Sie sind auch deswegen heilig, weil für sie selbst das Göttliche unerlässlich ist, sie brauchen es. Sie vermitteln zur Qualität in den transzendenten Begegnungen, indem sie eine Lebensform an den Tag legen, die für die Gemeinschaft nützlich ist. Ihr Charisma ist auf das Heil ausgerichtet, deswegen sind sie Heilige.

Interessanterweise kamen einige Heilige in ihrer Vita aus dem Luxus hervor. Sie warfen ihren Besitz als Ballast ab, kein leicht zu akzeptierendes Unterfangen. Es ging ihnen darum, sich von innerer Belastung zu befreien, um die Harmonie mit dem Göttlichen aufzuspüren. In diesem Muster erschlossen sie sich verborgene Wahrheiten, das hat sie zu Heiligen gemacht. Das war auch nicht ausschließlich ihr Verdienst, sondern die ergriffene Gelegenheit eines universalen Angebots. Im Durchschnitt wird der Mensch diesen Modus kaum nachahmen können, was ja auch nicht erforderlich ist. Wenn uns das weltliche Glück nicht vollends erfüllt, haben wir immer noch andere Entwürfe, uns einer umfassenderen Auslegung von Sinn zu nähern. Das allein ist schon ein wertvoller Schlüssel zu einem zufriedenstellenden Lebensstil.

Niemand wird von sich behaupten können, die göttliche Gerechtigkeit zu kennen. Wir verstehen ja kaum, warum gerade herausragende Heilige extrem zu leiden haben. Vielleicht nehmen sie das Leiden lockerer auf sich, weil sie ihre Stigmata bereits als eine Bestätigung ihres Glaubens empfinden. Das darf nicht darüber hinwegtäuschen, dass es auch andere Leidensgeschichten gibt. Was ist mit denen, die mental verunsichert und gequält sind? Welche Hilflosigkeit ist dann schwieriger zu bewältigen, die im physischen oder materiellen Abbau oder die in der seelischen Drosselung? Es ist nicht Sache des Menschen, darüber zu befinden.

Was nicht mehr gelehrt wird, geht verloren. Wessen Schaden ist es? Der Mensch badet sich gerne in Verständnislosigkeit. Streng genommen müsste er dagegen revoltieren, sodass er wieder zurückfindet zu dem, was ihn ursprünglich ausmacht. Das Wahre liegt in der Ganzheit, nicht im Singulären. Wenn wir das tradierte Wissen über die letzten Dinge mobilisieren, werden wir mit unseren innersten Entscheidungen nicht ganz so falsch liegen. Unsere Entschlüsse werden gut ausfallen, wenn sie ganzheitlich getroffen sind. In Stücken zu leben, schafft Zwänge.

15. WAS BEDEUTET DAS HEILIGE?

Beim Heran-Zoomen des Wortes „heilig“ erkennen wir, dass es etwas Besonderes darstellt. Naturgemäß kann es nichts Profanes sein. Es ist keine Plattitüde, es wird sogar unverzichtbar in einer Welt, in der nicht selten der Ungeist die Vormacht hat. Das Wort „heilig“ hat verschiedene Konnotationen. Ist es gar cool? Suchen wir nach dem, was beeindruckt? Wir werden auf gewaltige Widerstände stoßen. Umso mehr zahlt es sich aus, den Begriff inhaltlich aufzubereiten.

Heilig ist primär, was Heil schafft. Den rührseligen, sentimentalen Heiligenschein werden wir nirgends vorfinden, selbst nicht in der Krippe beim Kind von Betlehem. Es war eben ein richtiges Baby. Das Heil der Menschheit kam in einem Menschen, der aus dem

Übernatürlichen hervortrat, so die christliche Lehre. Die Begegnung mit dem Göttlichen erfolgte in einem Kind. Dies ist nicht leicht zu verstehen, aber offensichtlich unentbehrlich, um die Kommunikation zwischen den Dimensionen herzustellen. Darin liegt die Bedeutung der übernatürlichen Bindung.

Im religiösen Bewusstsein ist der Messias das Göttliche. Gleichzeitig ist er ganz Mensch und machte die irdischen Mühen genauso wie jeder andere Mensch durch, vom Erwachsenwerden bis hin zur Alltagsarbeit, in der er von seinem Ziehvater eingewiesen wurde. Damit ist er kein Zauberer, sondern augenfällig ein Mensch. Das erscheint nicht nur dem menschlichen Intellekt unfassbar, auch der allgemeinen Psyche.

Das absolut Heilige liegt allein im Göttlichen. Ihm können wir uns nicht beliebig nähern, aber auch nicht entziehen. Es bedarf der Mittler. Maria, die Engel, die

Apostel und Leute mit einem besonderen Bezug zum Göttlichen werden ebenso als heilig tituliert. Die Bezeichnung wurde ausgedehnt auf Orte, die Kraft spenden ebenso wie auf Handlungen, etwa die heilige Messe. Welche Rolle spielen sie?

Heiliggesprochen wurde auch jener Papst Johannes Paul II., der fraglos ein großes Geschenk an das 20. Jahrhundert war. Nicht nur sein missionarischer Reiseeifer machte ihn zum modernen Völkerapostel. Dank der zeitgemäßen Fortbewegungsmittel schaffte er mehr „Weltumkreisungen“ als sein Teil-Namens-Vetter, der Apostel Paulus. Wojtylas weltumspannendes Engagement war für die Geschichte des ausgehenden zwanzigsten Jahrhunderts maßgebend. In seinem Amt erscheint das kleine Subjekt entweder alltäglich oder enorm groß.

Wojtyla, Papst Johannes Paul II. erweckte den Eindruck,

einen ernsthaften Draht zum Göttlichen zu haben. Ein internationaler Stardirigent erzählte: „Über das Kruzifix schien er mit dem Göttlichen in Verbindung zu stehen und ich fühlte eine innere Wärme. Es veränderte mich und meine Einstellung zu meinem jüdischen Glauben“. Nicht zufällig erwiesen Juden, Orthodoxe, Mohammedaner, Buddhisten und zahllos untereinander konträr gepolte Politiker zu Hauf diesem Papst die letzte Ehre bei seinem Begräbnis. Millionen wohnten einst seinen großen Messfeiern bei, Millionen waren vor Ort am Begräbnistag in Rom.

Allein der Stellenwert in der Historie des Zusammenbruchs des Kommunismus streicht das Besondere an Johannes Paul II. heraus. Sein religiöses Charisma war der Rohstoff, aus dem das Außergewöhnliche entsprang. Es wurde in einer langjährigen und auch leidvollen Biografie geformt. Ein kurzer Rückblick darauf macht klar, mit welcher seelischen Stärke dieser Mensch den vielen Schlägen standhielt. Als er von den politischen Unruhen bedrängt im Untergrund Literatur, Philosophie und Theaterkunst studierte, verlor er früh Mutter, Vater und Bruder. Nervenaufreibend war das hautnahe Erleben der Nazi-Gräuel. Dann kam noch die Schreckensherrschaft des Kommunismus dazu. Ein besonderer Grundsatz prägte sein Leben: „Gott gibt das einzige, was man zum Leben braucht, nämlich den Heiligen Geist".

Wer eine derartige Beziehung zur Weisheit und zum Transzendenten hat, strahlt mit seiner Haltung Zuversicht und Stärke aus. Sein Postulat „Man kann nicht auf Probe leben, nicht auf Probe glauben, nicht auf Probe Verantwortung für Menschen übernehmen" bezeugte ein Bekenntnis gesellschaftlicher und menschlicher Klugheit auf hohem Niveau. Warum sollte es unschicklich sein, auf eine derartige Vorbild-Autorität zu greifen? Seine Weltsicht wird im Zwiespalt wahrgenommen und zwar unnachgiebig: entweder irrt er sich oder diejenigen sind perspektivlos, die ihm kein Gehör schenken.

Insbesondere verweist dieser Papst darauf, wer Jesus Christus ist: „kein Religionsstifter, keine Gallionsfigur für Pazifismus, kein Sozialreformer, keine Idee und kein Programm. Christus ist nicht positivistisch erkennbar. Man muss ihn kennenlernen. Unwissenheit ist der größte Feind des Glaubens." Damit machte Johannes Paull II. uns klar, dass der Begriff „Gott" nicht subjektiv angelegt sein kann. Das Bild, das sich der Mensch aus sich selbst heraus von Gott macht, ist nicht maßgebend. Die Offenbarung ist es, die das Bewusstsein entscheidend aufhellt, es definiert, es verständlich macht.

Eines der starken Statements von Papst Johannes Paul II. lautet: „Die geoffenbarte Wahrheit steht über der

Freiheit. Das fleischgewordene Wort steht über dem menschlichen Gewissen". - „Wenn man den Tod Gottes verkündet, bereitet man den Tod des Menschen vor. Die Wahrheit kann man nicht demoskopisch oder demokratisch bestimmen. Über die Wahrheit kann keine Basis befinden. Sie ist kein Geschöpf des Menschen, sondern ein Geschenk des Himmels".

Von der Wahrheit im Alltag wissen wir, dass sie oft verdreht, dass sie manipuliert wird. Ist sie nur eine Frage der Auslegung und der Interessen? Wir leben zwar in dieser Welt, aber was sie wirklich ist das ist uns nicht immer bewusst. Die Wahrheit ist jedenfalls etwas Vorgegebenes. Während Karl Marx („Wahrheit wird durch den Menschen geschaffen, was wahr ist bestimmt der Mensch") und Friedrich Nietzsche („Die Wahrheit ist eine Illusion, entscheidend ist, dass der Mensch die Welt sich so schafft wie er es möchte") den Willen zur Wahrheit kritisieren, vermerkt Platon schon in der

Antike, dass Wahrheit ist, wenn das Sein mit der Idee des Göttlichen übereinstimmt. Der eigene Wille macht den Menschen nicht frei, nur die Wahrheit macht ihn wirklich frei.

16. VOM VERSTEHEN

Wir alle wollen verstanden werden. Wir müssten uns aber auch bemühen, das, was über uns hinaus besteht, ebenso zu verstehen. Es braucht Geduld. Enttäuschung ist oft in dem begründet, was wir nicht verstehen. Die Reaktion ist meist grundverkehrt. Richtiger wäre es, die Gabe für die innere Stärke anzunehmen. Vielleicht ist es notwendig, das seelische Programm in den Alltag mitzunehmen, anstatt es auf Eis zu legen. So bilden sich Kräfte der Selbst-Reparatur. Das innere System baut sich auf und regeneriert sich. Ohne seelische Mobilität wird der Sinn sinnlos. Nur so können wir als Individuen gewinnen. Der Sinn ist erfahrbar. Hinter ihm steckt ein unglaubliches Kraftpotenzial.

Wenn wir uns mit diesem Stoff beschäftigen, bewirkt es etwas. Unser Wesenselemente, unser System wird aktiviert. Dabei ist unser Einsatz risikofrei. Erstaunlich ist, dass im Angebot keine Hexerei verborgen ist. Seelische Phänomene mit außergewöhnlichem Ausmaß über die eigene Entwicklung kommen an die Oberfläche. Das Thema ist überall im Alltag anzutreffen. Nun dürfe die angebotenen Ressourcen nicht brach liegen bleiben. Das, was entsteht, läuft weiter durch, immer vorwärts. Abkürzungen sollten nicht unbedingt gesucht werden. Wo befindet sich das Endziel?

Es ist essenziell, auf die Zukunft loszugehen. Um am Megabau des eigenen Ich zu arbeiten, sind zunächst die zerstörerischen Faktoren von Zeit und Skepsis abzuwehren. Ihre Strömungen machen aus dem Lebensablauf eine unbequeme Odyssee. Manchmal ist man entzückt, manchmal werden Tränen vergossen. Ihre Spuren sind erschreckend. Sie nagen an unseren Fundamenten. Die Lücke zum Übernatürlichen muss unverzüglich geschlossen werden. Ab einem bestimmten Punkt erfolgt die Entscheidung. Wohin werden sich die Gedanken öffnen?

Bilder und Worte sind wirkmächtig. Sie abschaffen zu wollen, würde bedeuten, an der menschlichen Substanz zu kratzen. Die religiösen Bilderstürmer, wie übrigens auch die politischen, sind stets darauf aus, Angst und Ablehnung zu verbreiten. Bilder sind dargestellte Informationen. Schon das biblische Gleichnis ist eine Art, schwer verständliche Inhalte besser zu erfassen. Gesprochene oder gemalte Bilder helfen weiter, sich etwas konkret vorstellen zu können.

Sich auf das Übernatürliche zu beziehen, ist nichts Statisches. Glauben wächst oder nimmt ab. Der Vorgang ist nicht automatisiert. Er bindet das Individuum in das dynamische Universum ein, jener Gesamtheit von Raum, Zeit, Materie und Nichtmaterie, in der sich die einzelne Persönlichkeit entfalten kann. Natürlich gibt es die besonderen Highlights, die berühren und motivieren. Es wird darauf ankommen, wachsam zu bleiben, um das aufrecht zu erhalten, was das Individuum aus ihnen mitgenommen hat.

Es ist kein Hokuspokus, die Balance zwischen Transzendenz und Weltlichkeit auszutarieren. Es kommt im Wechsel zwischen Work-out und Innehalten auf den Rhythmus an. Routine allein ist dabei nicht förderlich. Sie erinnert zu sehr an unsere Neuronen, die in einem dem Zufall gehorchendes Ein- und Ausschalten immer wieder neu ausgelöst werden. In der transzendentalen Erfahrung wird zwar etwas Neues angestrebt, aber es wird nicht auf Knopfdruck erzwungen. Vielleicht ist das Heilige sogar eine universale Berufung für jedes Individuum, sobald es sich in seinem seelischen Zweck zurechtfindet.

Wenn der Mensch dazu gemacht ist, sich auf das

Übernatürliche einzulassen, wählt er dann das Aussichtsreiche oder das Lähmende? Zwar ist der Abstand zwischen dem Übernatürlichen und dem Menschlichen unendlich. Trotzdem gibt es die Verbindung, womöglich sogar in einer ungeahnten Nähe. Sie wurde bereits verwirklicht, eben an Weihnachten und Ostern, wobei Weihnachten als das Neue charakterisiert ist, Ostern als die Vollendung. Es gibt kein Parallelangebot von Erlösung und schon gar nicht die Selbsterlösung.

Verhaltensforscher haben neuerdings herausgefunden, dass nicht das Belohnungsprinzip von Brot und Peitsche der Antrieb zur Aktion ist, sondern die Erwartung von Glück. Kein Tun ist so gut, um sich selbst loskaufen zu können, verrät die Theologie. Da ist es wieder jenes aufgeplusterte Ich, alles bewerkstelligen zu können. Das Göttliche braucht diesen kommerziellen Gedanken des positiven Tuns nicht, um zu belohnen. Es braucht nur die

Bereitschaft des Menschen, dann werden sie auch getragen. Letztlich geht es nicht um die fromme Berieselung, sondern um das vorbehaltlose Vertrauen.

Schauen und Hören lässt Information zu. Lernen hat etwas mit Wissen und Bewusstsein zu tun. Diese beiden Faktoren in Beziehung zu setzen, ist Sache von Intelligenz. Wenn wir dafür sensibel sind, sollten wir dankbar sein. Es lässt uns ahnen, was und wer wir sind. Wir dürften auf dem richtigen Weg sein, wenn wir uns selbst nicht in den Vordergrund rücken. Die Stille lehrt uns zu hören. Am Ende wird die Schlussfolgerung gezogen, was wir von der Reise auf dieser Welt an Erinnerung und Erkenntnis mit hinüberbringen.

Es wurde bereits festgestellt, dass Informationen nicht allein dazu da sind, aufgenommen zu werden. Sie lassen sich weitergeben. Nur so werden sie erst richtig verarbeitet. Wenn wir unser erworbenes Wissen nicht anwenden können, weil es beim Nächsten nicht ankommt, ist alles nur ein bedeutungsloser Windhauch. Mit den Inhalten richtig umgehen heißt nicht, dass nur das kurzfristige „Wie“ zum Leitsatz gemacht wird. Das langfristig angelegte „Warum“ setzt den Modus des Verstehens erst in Gang. Die Intensität der Begegnung mit dem Übernatürlichen wird unterschiedlich ausfallen. Wie fühlen wir uns dabei?

Wenn wir der Herausforderung nicht mehr gewachsen sind, sind wir wie gelähmt. Erst in der Spannung der Erwartung werden wir entspannter. Suchen wir sie im Schauen und nehmen wir das Geschaute an, gelangen wir über die irdischen Grenzen hinaus in die konkrete Existenz. Die Neuropsychologie sagt aus, dass unsere geistige Welt eine subjektive Welt ist. Nur wenn wir uns damit auseinandersetzen, können wir uns seelisch gesund entwickeln. Wurde nicht eine Tür zum Menschen geöffnet? Wenn sich das Göttliche gezeigt hat, wer wollte sich dem verschließen, selbst wenn es die sinnliche Begrifflichkeit übersteigt?

Es ist nicht alles so selbstverständlich und ab und zu tauchen in uns Gedanken auf, dass alles nichtig sein könnte. Wir zögern, beginnen zu zweifeln und irren uns bei unseren Schlussfolgerungen. Welche sind also die richtigen? Unsicherheit und Stagnation drohen aufzukommen. Schieben sich Hilflosigkeit oder Glück und Erwartung hinein? Was es letztlich wird, hängt weitgehend von uns selber ab. Auch wenn im Willen des Übernatürlichen das letzte Wort liegt, die rudimentäre Freiheit wurde uns trotzdem vorab geschenkt. Geschenke werfen nur die Unverbesserlichen aus Hochmut über Bord.

„Unsere Verirrungen verlassen uns nie“ sagt der große deutsche Dichter Johann Wolfgang von Goethe. Selbst wenn uns heute manches selbstverständlich vorkommen mag, war es im Augenblick des Entdeckens immer schwierig. Galileo Galilei schüttelte auch nicht sein Wissen so einfach aus dem Ärmel. Mit den Fallgesetzen tat er sich besonders schwer und musste sich mit dem jahrelang auseinandersetzen, was uns so normal erscheinen mag. Es ist immer ein Ringen, um Neues zu entdecken. Das macht das Imposante und auch Trügerische an der Wissenschaft aus. Manchmal schafft der Mensch Strukturen aus Einschätzungen, die definitiv falsch sind. Wie oft schon ist die Menschheit ihrem eigenen Wunschdenken zum Opfer gefallen! Das Wissen will nicht verbissen, sondern mit Zähigkeit, auch mit Dankbarkeit angenommen werden.

Wir entwickeln uns, um zu leben. Wir trachten nach der Modifizierung zum Besseren. Nirgendwo präziser als im Sport wird dieser Grundsatz vorgelebt. Der Einsatz beflügelt. Das Individuum kämpft sich durch den Dschungel des Bevorstehenden durch. Ist es ein

Schachern mit dem Zufall? Wenn wir das Weiß des Schnees betrachten oder seine Kälte verspüren, erfahren wir sowohl die Ernsthaftigkeit als auch die kindliche Freude an dem, was sich uns da bietet.

Die Überraschung folgt auf dem Fuß. In der Ruhe, nicht im Stillstand, findet sich die sehnsuchtsvolle Annahme. Auf dem Weg der geistigen Sammlung ist das Visier auf das Endgültige ausgerichtet. Was an Antworten angeboten wird, ist keine Drohung eines blinden Schicksals. Die bestmögliche Sicherheit liegt im „fiat", „es geschehe". Wir geben uns ihm hin, wir geben es nicht auf. „Mir geschehe nach Deinem Wort" bedeutet, dass nichts und niemand das letzte Wort hat als das Übernatürliche.

Nackt sind wir in diese Welt gekommen und so werden wir sie auch verlassen. Ein einziges Feeling kann zum ständigen Begleiter werden: das Vertrauen, dass wir nicht allein auf uns gestellt sind. Du brauchst nicht mehr zu fragen, wie du das machst, sondern du machst es, weil du vertraust. Du lässt es auf dich wirken, du siehst in die Zukunft. Würden alle ihre eigene Wahrheit verfolgen, befänden sie sich sehr schnell im Chaos. Es wird nur durch eine einzige Wahrheit überwunden. Vor ihr und vor dem, was kommt, brauchen wir auch keine Angst haben. Nur in der Auflehnung wird sich das Geschehen sperren.

17. KONTAKT ZUM ÜBERNATÜRLICHEN

Anschauungen lassen sich oft nur schwer beeinflussen. Daher fordert das „fiat“, sich dem zu stellen, was auf uns zukommt. Es wird immer wieder vorkommen, dass wir aus dem eingeschlagenen Weg hinaus gestoßen werden. Das Beste, was uns dann passieren kann, ist, immer wieder aufzustehen. Das Wieder-Zurückfinden ist das Geheimnis des Faktischen. Es demonstriert, dass wir nicht in den luftleeren Raum hinausgestoßen sind. Wir finden uns in einem zwar unglaublich riesigen, aber überschaubaren Gelände wieder.

Wie werten wir die Bedeutung von Quelle als Wissensspeicher? Die erste Quelle für die christliche Spiritualität findet sich im so bezeichneten „Ersten Bund“. Dort entsteht ein Dialog, der sich aus dem

Übernatürlichen herleitet. Als der „Zweite Bund“ im Christentum einsetzte, war das Alte Testament noch weitgehend präsent. Es war lebhaft im Bewusstsein der ersten Christen vorhanden. Es fand nicht die abrupte Trennung statt. Die Erneuerung generierte sich aus der Kontinuität.

Heutzutage fühlt sich das Christentum vorwiegend dem Neuen Testament verbunden. Dennoch wäre es als philosophische Aufrüstung zweckmäßig, den Inhalt des Ersten Testaments zu kennen. In ihm ist das Sinnverständnis des ganzen Kosmos vorweggenommen. Die aufgezeichneten Gedanken führen auf die Wurzeln des kosmischen Geschehens, auf die Fragen der menschlichen Existenz, des Ursprungs und des Sinns der Welt hin. Wenn auch in den einzelnen Epochen und Generationen verschiedene Begriffe entstanden sind, die Zusammenhänge eines gemeinsamen kosmischen Verständnisses sind ersichtlich. Die Ganzheitlichkeit des religiösen Gedankenguts blieb erhalten.

Zu allem Anfang schon war die Kommunikation mit dem Übernatürlichen offenkundig. Sie entstand nicht aus dem Menschen heraus. Er könnte solches gar nicht erkennen oder gar ersinnen. Die alten Psalmen sind nicht dazu gedacht, über das Göttliche zu diskutieren, sondern mit ihm zu reden. Sie lassen sich von der Glaubenserfahrung nicht trennen. Es sind Loblieder, die definitiv zum Anspruch des Geschöpfs Mensch dazugehören. Heute noch beeinflussen sie das christliche Bewusstsein. Deswegen sind sie ja auch fixer Bestandteil in der christlichen Messfeier. Die Prophezeiungen, die auf den Neuen Bund bereits hinweisen, sind nicht weg zu kaschieren. Sogar die Leiden eines Messias sind darin vermerkt. Verurteilung, Passion, Geißelung sind konkret angesprochen. Prophetien verknüpfen, insoweit sie einmal faktische Wirkung haben, die historischen Zusammenhänge.

Immer wieder glaubten Menschen, endgültig modern geworden zu sein, wenn sie sich rühmten, alte Zöpfe abschneiden zu wollen. Und heute? Was würde eigentlich in weiterer Folge geschehen, wenn die Sache mit den Evangelien, mit dem Kreuz, mit der Auferstehung nicht mehr ernst genommen wird? Vor der Denkblockade zu kapitulieren, hilft nicht weiter. Natürlich ist die Historie des Nazareners als Mensch leichter zu übernehmen als das, was über den plastischen Rahmen hinausgeht.

Selbst die Zweifler versuchen, Werte zu stricken, die aber irgendwo ihre Anleihen haben müssen. Der Mensch neigt dazu, von sich aus auszuwählen, was verbindlich ist. Er landet damit unweigerlich in einer Art von selbst organisiertem Autismus. Der Prozess seiner Entwicklung ist irgendwie gestört worden, da er sich in die ihm fremden Situationen nicht hineinversetzen kann. Mit einem solchen Approach katapultiert er sich in eine eigenverursachte Entwicklungsstörung. Die muss er auch selbst verantworten. Warum fügt er sich das zu?

Was halten wir also vom Menschen, von seiner Funktionalität, von seiner Personalität? Was denken wir von unserer Herkunft und von unserem Auftrag? Das Wissen muss sich weiterentwickeln können, dann ist es auch verwertbar. Welches Jahr auch immer geschrieben wird, die Erinnerung an das, was einmal geschehen ist, bleibt präsent. Die Ereignisse vor 2000 Jahren verursachten und verursachen immer noch Provokation. Sie illustrieren die Chance und damit die Fähigkeit, sich anderen Dimensionen zu nähern. Die Sachlagen werden bestätigt, dass es anders kommt als man es sich selbst ausdenkt.

Wie wurden die Ereignisse erfahren und wie wurden sie weiter vermittelt? Die Frage nach dem Neuen Bund reißt existentielle Konfigurationen auf. Johannes Paul II.

erklärt sie damit, „dass Existenz und Zukunft der ganzen Schöpfung im Kontext ohne Christus nicht verstanden werden kann“. Die Distanz des Verstehens entspricht der Impotenz der subjektiven Vorstellungskraft. Die Unvollkommenheit spaltet. Sie begreift nicht, versteht noch viel weniger, aber sie hält sich immer noch an das, was metaphorischen Verweischarakter hat. Im Alten Bund kam die Verbindung zum Übernatürlichen noch aus der Ferne. Im Neuen Bund entstand die Dynamik aus dem individuellen Verhältnis zum Transzendenten.

Wir reden von den Prioritäten des Lebens, über das, was wirklich wichtig ist. In der Rangordnung steht der Mensch nicht an erster Stelle. Diesem Privileg nähert er sich nur, indem er das Übernatürliche ins Zentrum legt. Haben Christen das Staunen verlernt? In der Breite der Masse wird nicht mehr so sehr darüber meditiert, dass die Allmacht sich in die Beengtheit des Menschseins begeben hat. Der Mensch will sich nicht mehr zurücknehmen in die Ruhe, um darüber nachzudenken, was mitgeteilt wurde. Weil wir darauf nicht mehr hören, wird alles andere zur Gewohnheit.

Wir können alles nicht mehr so leicht verkraften. Darum verdrängen wir es. Heilsbringende Pausen sind angebracht, sich nicht zu verkrampfen, sich nicht für unabdingbar zu halten. Wenn wir uns eine Auszeit nehmen, um unsere Aufmerksamkeit von einer anstrengenden Thematik auf etwas Erfreuliches und völlig anderes lenken, dann steigt unsere Denkkraft. Klangtherapien und so manch andere Beschwörungsformeln werden aus der Beengtheit nicht herausführen. Die unreligiöse Meditation wird zur Falle. Was ist das Es? Es ist kein geheimnisvoller Nonsens, der die Welt beseelt.

Wir werden neugierig und manche möchten das Neue persönlich kennenlernen. Sie sind auf kein ausdrucksloses „Es“ fixiert, sondern auf das personifizierte Gegenüber, das sie zum Dialog brauchen. Unbedingt sollten wir uns ein Bild machen, wie wir in seelisch gesunder Atmosphäre auf das Überirdische stoßen. Versuchen wir es und gehen „under-cover“. Am Anfang werden wir drauflos marschieren und vielleicht überrascht sein, wie intim die Auseinandersetzung sein kann. Eine unentbehrliche Beziehung öffnet sich.

Den Apostel Paulus hört man sagen, dass die Geburt und das Leben dieses Jesus Christus keine punktuellen Ereignisse darstellen. Da ist nicht jemand hergegangen und hat eine These aufgestellt. Der Ablauf hat sich unabänderlich ereignet. Das Göttliche überraschte uns bis heute, als es trotz seiner überdimensionalen Distanz zum menschlichen Wesen wurde und alles Irdische mitmachte. Man ist anfangs nicht darauf gefasst, dass die Menschwerdung nicht über die Hierarchie von Herrschern oder Priestern erfolgte, sondern durch eine junge Frau. Das übernatürlich Göttliche ist sich nicht zu schade, ins menschliche Leben einzutreten, als Kind auf die Welt zu kommen und sogar am Kreuz zu sterben. Es ist die für die Menschheit nicht mehr auszuklammernde Erfahrung, es ist erlebte Historie, keine Story.

Ob uns dieser Modus erdrückt oder ermutigt liegt an uns selbst. Er lässt jedenfalls keine Ruhe. Lässt man sich lieber beschenken oder abstoßen? Wollten wir an der Unwissenheit hängen bleiben, wäre es unter unserem Niveau. Schicksalsschläge können gnadenlos sein, die Schlussfolgerungen daraus sind es nicht. Niemand ist auf Gnade oder Ungnade ausgeliefert. Nicht der Glaube an irgendwelche Götter, an materielle Götzen oder an ein blindes Schicksal bestimmt die unverrückbare Auffassung des Ereignisses. Das Narrativ der Hoffnung wird den Hunger nach Sinn stillen. Es wird sich durchsetzen.

Das Individuum wird aufgerufen, nicht davon zu laufen. Denn es soll mit einer neuen ordnenden Größe des Seins, dem Frieden konfrontiert werden. Es ist ein Friede mit dem Absoluten und mit sich selbst. Wir sollten dieses Postulat ungehemmt verfolgen, ihm nachjagen gemäß dem Theorem Albert Schweitzers, dem großen Denker des 20. Jahrhunderts: „der Friede Gottes ist nicht Ruhe, sondern treibende Kraft“.

Dem Menschen ist es nicht gegeben, aus sich heraus Frieden zu stiften. Daran scheiterte er schon viel zu oft. Er schafft Spaltung in der Geschichte. Zu allen Zeiten steht er vor denselben existenziellen Fragen, nur eben mit verschiedenen Ausprägungen. Ohne äußeren Frieden gibt es kein wirkliches Zusammenleben unter den Völkern. Doch dazu ist es notwendig, „den Frieden in der Lösung der Spannungen der unausgeglichenen Strebungen in sich selbst zu suchen“, betont Augustinus. Ohne inneren Frieden kann das Individuum nicht wirklich frei durchatmen. Im weiteren Fortgang kommt Einigkeit aus dem Ideellen, dem Geistigen. Sich und die wirkliche Welt wieder finden, darauf kommt es an. Eins sein mit der Übernatur, heißt, nicht im Abseits stehen. Der Kick-off zum Sinn fördert die Erwartung aus der Erinnerung.

18. FRIEDE, BLOSS EIN ZUSTAND?

Normalität wird gerne mal umdefiniert. Es ist geradezu problematisch, aus den eigenen Illusionen herauszutreten. Die persönliche Umkehr ist dann doch recht willkommen, da sie das Notwendige richtig einordnet. Daher wäre es nicht schlecht, über sich selbst informiert zu sein. Du musst deine seelischen Kräfte, deine Gegensätze richtig einschätzen, ist die erste der Soll-Funktionen. Ähnliches rührt an der gesamten Gesellschaft. Nur so wird sie die Widersprüche entgegengesetzter Willensregungen aufheben.

Der definitive Friede wurde ja schon verkündet. Seine Früchte müssen erst gesucht werden. An ihrer Auffindung sollten sich möglichst viele beteiligen. Die dabei erzeugte Spannung erfahren wir jeden Tag. Die Essenz des Angebots gibt viel Stoff, darüber nachzudenken. Damit das Miteinander funktioniert, suchen wir vorab die innere Integrität, eine durchaus humanistische Forderung. Wir müssten nur noch danach handeln. Trotzdem schaffte es die Menschheit bislang nicht, Frieden dauerhaft zu erhalten. Die jeweiligen politischen Lagen und die privaten Konstellationen zeigen es immer wieder. Wir ertragen es nicht. Wir müssen zur Kenntnis nehmen, dass der soziale Friede selten Realität ist. Je länger ein politischer Friede dauert, desto weniger ist die Gesellschaft von ihm mitgerissen. Wen interessiert schon der Friede, wenn Friede ist?

Die ‚Next-Society', die sich ausschließlich am Nächsten orientiert, steht auf sehr wackeligen Füßen. Ist sie in der Weltgeschichte überhaupt realisierbar? Und wenn, wird sie sich zu viel auf Kompromisse einlassen? Der Idealzustand einer Weltbeziehung bleibt somit eine Illusion, aber immerhin eine erstrebenswerte. Alle wollen unbedingt die Dominanz der eigenen Interessen,

„auf Teufel komm raus“, wie es so schön persifliert wird, durchsetzen. Die Form einer sterilen Zwangsordnung wäre wohl auch nicht der unbedingt wünschenswerte Ausdruck menschlichen Befindens. Trotzdem wird immer wieder die Optimierung der Strukturen angepeilt. Die gegenwärtige Entschleunigung des sozialen Lebens oder die Maßnahmen zur Nachhaltigkeit könnten im Augenblick sogar Wirkung zeigen. Vielleicht kommt man eher als vermutet drauf, dass das Leben off-line des vom Menschen induzierten Netzwerks sogar seinen Reiz hat.

Der Mensch ist eine Spezies, die nicht fähig ist, den Nächsten für unentbehrlich zu halten. Aus sich selbst heraus kann er soziales Verhalten nur entwickeln, wenn er auf die Erfahrungen anderer Menschen reagiert. Übrigens ist er auch nicht in der Lage, die eigene Dummheit zu begreifen, genauso wenig wie es ihm gegeben ist, die Zukunft zu erkennen. Unsere Welt ist also von viel zu viel Unzulänglichkeit übersät. Viel zu viele sind es, die unnötigerweise stören und sich selber zerstören. Zahlreich sind diejenigen, die an der eigenen Verdummung eifrig arbeiten.

Ein treffendes Beispiel für kollektive Dummheit zeigt sich in der Sucht. Da gibt es einmal die Sucht des Rauchens. Der immer noch große Prozentsatz der Raucher bringt nicht nur sich selbst um, sondern viele Mitmenschen. Da müsste die ISIS noch jahrzehntelang Blutopfer produzieren, um in der Statistik gleichzuziehen. Nicht weniger bedauerlich ist das Rauchen aus der Sicht der eingeschätzten Selbstverstümmelung, wenn es zum Treiber des körperlichen und geistigen Unvermögens und Versagens wird. Warum können sich so viele Menschen aus der Sucht nicht raushalten?

Aus dem Wahnwitz unseligen Herdenverhaltens ist es eben nicht so leicht herauszukommen. Dennoch sollte man dem Unverstand und seinen Auswüchsen entschiedener entgegen treten. Genügt die bloße Feststellung eines Albert Einstein, “die Herrschaft der Dummen ist unüberwindlich, weil es so viele sind und ihre Stimmen zählen genauso wie unsere“? Ein anderes Bonmot klingt nach: „zwei Dinge sind unendlich: das Universum und die menschliche Dummheit, aber beim Universum bin ich mir nicht so sicher“. Leider sind sie alle fix vorhanden, die sich für raffiniert halten und als Terroristen oder als Diktatoren andere umbringen, anderen Mitmenschen Leid zufügen und so weiter und so fort. Es bleibt ein Problem der Gesellschaft. Sie könnte es unter Hervorhebung der eigenen Effizienz lösen.

Wissen wird immer nachgefragt sein. Die Quantität ist dabei nicht ausschlaggebend. Wir wissen ja zu gut, dass die Anzahl der Follower auf Facebook noch keine Qualität ausmacht. Dass sich die Facebook-Inkontinenz der Masse negativ auswirkt, wird ständig unter Beweis gestellt. Der Geist der Ungebildetheit krebst unerbittlich an den Stränden der neuen Medien herum. Allzu leicht stürzt man in den Abgrund dessen, was man nicht weiß. Viel zu diffus präsentieren sich die Wissensstände, die quantitativ explodieren. Vielfältiges Know-how muss umfassend, aber gleichzeitig komprimierbar sein. Wir sind ja gar nicht in der Lage, die Millionen Fotos auf Instagram täglich herunterzuladen. Die gedankenlosen Inszenierungen von Fehlinformationen bauen eine Haltung auf, die den Selbstwert der Gesellschaft reduziert.

Fast noch schneller als das Virus verbreiten sich Fake-News in der Öffentlichkeit. „Alternativ-Fakten" werden zu Parallelwelten mit merkwürdigen Ansichten der Realität. Fake oder Fakt, das kann nur die Wissenschaft ausmachen. Wie verkauft sich eigentlich das Geheimnis des Lebens? Es wurde ganz anders vermittelt. Wir greifen es nur nicht auf, obwohl es uns Hoffnung verspricht. Wir haben Angst, uns in der Hoffnung zu verzehren. Die Anhänglichkeit an temporäre Gefühle behindert uns. Klar, das Loslösen ist ein schmerzlicher Prozess. Trotzdem könnte er das große Glück bedeuten.

Gewollt oder ungewollt stoßen wir in all dem Trubel auf das Erleben von Wüste. Die alten Weisen erzählen von ihrer Bedeutung. Das Symbol der Einöde wiederholt sich in den sozialen Begebenheiten, in der Leere und in der Unerkennbarkeit des Zukünftigen. Wir alle gelangen einmal in einen solchen Zustand. Dort könnte das Gefühl entstehen, das Übernatürliche anzuerkennen und vielleicht zu lieben. Denn es steht im Zentrum der Dinge und nicht wir.

Die Anerkennung des unermesslichen Alleinseins in der Weite des Lebens wird für uns schicksalhaft. Was geschieht, wenn wir nicht mehr weiter können? Aus dem Lamentieren muss ein Rufen werden. In einer unersetzlichen Form kommunizieren wir mit dem Übernatürlichen. Das informierte Beten ist nicht bloß Paraphrase, es ist Leben. Gebetet wird mit der Kraft des Übernatürlichen. Der Mensch ist auf diese Hinwendung angewiesen, sonst geht er an seiner eigenen Existenz vorbei, vielleicht sogar ohne es zu merken. Wir haben das Beten nötig, zu groß sind unsere Schwächen.

Reduziert sich denn das Leben bloß auf ein billiges Unterhaltungsprogramm? Wir haben ein Anrecht und die Freiheit, darum zu beten, dass wir nicht am Grund des Bodens haften bleiben. Beim Beten bettelt man nicht, denn man befindet sich im Zustand innerer Gelassenheit. Es gibt offensichtlich Dinge, die den Menschen berühren. Und es gibt die Situationen, die nur über das Gebet bewältigt werden. Die Abschottung wird uns nicht helfen. Das Beten ist das große Charisma des Glaubens.

Der römische Satiriker Juvenal prägte den Ausspruch „panem et circenses“, „Brot und Spiele für das Volk, betonte aber im gleichen Atemzug, das Gebet zu den Göttern nicht zu vergessen. Er fügte hinzu, nicht unbedingt um etwas Konkretes zu bitten, aber wenn schon, dann „orandum est, ut sit mens sana in corpore sano“ (um einen gesunden Körper in einem gesunden Geist beten“). Orare, beten, bedeutet semantisch „den Mund aufmachen“. So ermahnte Juvenal „Vergiss bei deinem Leben dein Gebet nicht“. Man müsse über das reden, was wichtig ist.

Anreiz und Zugang zur Existenz stehen also im Angebot. Es ist nicht die Rede von einem Kunststück, angeregt wird der Willensakt. Das Wollen gehört nun einmal zum menschlichen Konzept dazu. Das Leben ohne Reflexion wird nicht funktionieren. Dann ist es wohl eines Tages verflogen - kein sehr rühmliches Ende für den Anspruch des menschlichen Intellekts. Sowohl die physische als auch die mentale Realität wird nicht ausschließlich genossen, sie muss ihrem Sinn gemäß erlebt werden. Geht etwa der Trend des Menschseins dahin, alles möglichst schnell Vergangenheit werden zu lassen?

Natürlich besitzen wir Körperfunktionen zur Erhaltung unseres Betriebssystems. Noch wichtiger dürften die Geistesfunktionen sein. Sie wirken sich gleichermaßen auf das Körperliche wie auf das Sinnliche aus. Irgendwann wird auch der Friede mit dem Körperlichen gefunden werden. Weitertrimmen und gleichzeitig loslassen, das ist das Kunststück. Was der Körper auf welche Weise mitmacht wird vom Geiste mitbestimmt. Er verwertet das Materielle als eine Ganzheit. Der Alltag ist zwar selbstverständlich, deswegen darf man aber nicht auf das Wesentliche verzichten. Sind wir gemacht, um zu vergessen, oder gibt es noch andere Angebote?

19. SINN UND GEIST

Was soll das nun mit dem Geist? Die Geisteshaltung könnte der bestimmende Faktor der Lebensfreude sein. Sie ist Atmosphäre, ist Stimmung, ist Empfinden. Sie kommt über die Eingebung. Wir sind auf den Geist angewiesen, jene Verbindung, die sich in uns konkretisiert. Das unsichtbare Dazwischen wird zur Hauptsache. In ihm finden sich die unverfälschten Perspektiven.

Jeder Mensch hat seine Vision, wie er sein Leben bestmöglich gestalten kann. Darin liegt der Sinn, doch welcher Sinn? Jedem Individuum ist es ein Anliegen, seine Lebensvision für das eigene Bestehen zu haben. Die Quelle bestimmt die Qualität seiner Ansprüche. Sie wirkt auf das einzelne Individuum. Darüber hinaus prägt sie die Reifung ganzer Geschlechter. Insofern hat der Mensch eine Mission nicht nur für den subjektiven Lebenszweck, sondern auch für die Mitwelt.

Bereits in der griechischen Antike versuchte man die Möglichkeiten einer gelungenen Lebensführung zu definieren und entwickelte das Konzept der „Eudaimonia“, des „Glückserlebens“. Sie enthält die Grundsätze der philosophischen Ethik und setzt auf die Ganzheitlichkeit der Welterfassung, die sich in der kosmologischen Lehre der stoischen Philosophie wiederfindet. Im 17. Jahrhundert ging der Mathematiker und Philosoph Leibniz wieder auf das Phänomen der ‚Stoischen Ruhe‘ zu. Ist sie der Ausweg? Die Selbstgenügsamkeit, wie sie in den fernöstlichen Philosophien auftaucht, strickt sich ihre besonderen Taktiken. Alle sind sie auf der Suche nach der persönlichen Gemütsruhe. Die banalste Lösung will der Mensch gefunden zu haben, wenn er zum Bierkrug greift.

Von der Endlichkeit belastet, glaubt man sich zunächst hilflos ausgesetzt. Wie sollte denn ein Zweck für sich selbst erfüllbar sein? Doch da schimmert das Konzept des Vertrauens durch. Nur so wird der Kampf gegen die Beschränkung des Endlichen ausgetragen. Gehen wir davon aus, dass aus dem Nichts sich nichts gestalten kann. Die Photosynthese ist auch nicht so aus heiterem Himmel gefallen. Der Aufbau der Natur, der Zellen, des Weltalls hat sich in einer kosmischen Ordnung entwickelt. Wer oder was hat sich das ausgedacht? Die Wahrnehmung dessen, was die Natur hervorbringt, entspringt der Akzeptanz des Sinns. Er führt zurück auf den Mittelpunkt des Geschehens. Natur gestaltet sich zu einer optimalen Orientierungshilfe zum Religiösen. Das Universum und mit ihm alles andere wird von einer einzigen Ursache gespeist. Sie deckt die gegebenen Gesetzmäßigkeiten ab.

Versuchen wir einmal, abseits von den üblichen Event-Räumen einen Rundgang durch die Naturlandschaften oder durch die Kulturen zu machen. Vielleicht gelingt es, in die versteckten Ecken oder in die kleinen Kapellen hineinzuschauen, um das Wesentliche zu entdecken. Wir wären überrascht, was sich fern von Lärm und Beton in der Natur und in der Stille abspielt. Was ist Natur? Sie umfasst Raum, Zeit und Materie. Wir Menschen erfühlen sie. Wir drücken aus, was zu unserem Standpunkt führt. Im Judentum ist sie Schöpfung, sie ist es auch im Christentum. Im Buddhismus und im Hinduismus ist sie vom Göttlichen losgelöst, auch wenn dort verschiedene Naturgewalten angebetet wurden.

Natur kann nur schwerlich verleugnet werden. Das Verhältnis zu ihr hat seine Wesenszüge. Mancherlei technische Errungenschaft, selbst des Virtuellen, kann wohl nicht so begeistern wie der Anblick der Berge, des Meeres, des Weltalls. Der Versuch, die Zusammenhänge der großen Dimensionen zu erkennen, führt zum höchsten Stand der persönlichen Entwicklung. Sie hört nicht dort auf, wo der Mensch glaubt, eine Eintagsfliege zu sein, um dann ins Aus hinein zu plumpsen. Im Gegenteil, er ist privilegiert, über diese Beschränkung hinaus zu kommen. Alles andere wäre menschenunwürdig.

Das suchende Individuum will auch das Neue im Immateriellen ausfindig machen. Sobald der Mensch dies tut, trifft er auf eine überirdische Kraft. Es versteht auf einmal, dass es mit Wert und Würde ausgestattet wurde. Beides kann ihm auch nicht genommen werden. Wenn es vom Absoluten kommt, hat der Mensch aber auch ein Gegenüber. Die Relation zum Übernatürlichen ist hergestellt. Spielerisch wird diese Erkenntnis erlebt. Nur in diesem einen Fall ist das Leben ein Spiel.

Inspirationen und Faszinationen tun sich auf. Trotzdem

bleiben die Erkundungen immer nur ein Versuch, den Hintergrund zu erkennen. Die Interpretationen fallen unterschiedlich aus, nicht die Tatsachen. Der Physiker Heisenberg sagt dazu, dass die Natur unserer Art der Fragestellung ausgesetzt ist. Die sinnliche Erfahrung beschränkt sich nicht auf Wissenschaft und Apparateforschung, sie ist geistig ausgerichtet.

Die Naturwissenschaft bezieht sich immer auf das Vorläufige. Sie gibt in erster Linie Hypothesen ab. Spekulationen werden durcheinander geworfen. Der Begriff der Würde kommt darin nicht vor. Dazu ist das menschliche Wissen zu trivial. Die Rationalität der Übernatur verweist die menschliche Einbildung ins Ephemere, nicht selten sogar in den Nonsens. Nicht richtig fundiert, wird die Theorie zu Schall und Rauch. Dies vertrat schon der vorsokratische Philosoph Xenophanes, der von Karl Popper als Vorläufer des kritischen Rationalismus tituliert wurde. „Nicht von

Anfang an haben die Götter den Sterblichen alles Verborgene gezeigt, sondern allmählich finden sie suchend das Bessere". Sir Karl Popper fasst es entsprechend zusammen: das menschliche Wissen besteht aus Vermutung und Meinung, die Wahrheit sei nicht als solche erkennbar.

Warum etwas irgendwo versteckt ist, bedeutet nicht, dass es inexistent ist. Die Frage taucht auf, wer konnte überleben? Und aus welchem Grund? Wie kann der Mensch so viel Unsicherheit aushalten? Deswegen macht er sich immer wieder auf die Suche, so wie Kinder nach den Ostereiern. Er orientiert sich am Dialog mit dem Übernatürlichen. Nichts mehr scheint endgültig verborgen zu sein. Haben wir das Offenbarte noch auf unserem Radar? Es sind Enthüllungen. Sie zu umgehen, wäre gar nicht vernünftig und überhaupt nicht weise.

Der weise Mensch vergegenwärtigt sich, wer er ist, und

an welcher Stelle im Universum er steht. Gefragt ist also der bewusste Blick auf unser eigenes Geschäft des Lebens. Weisheit ist nicht unbedingt auf ein bestimmtes Alter fixiert, obwohl sie sich von Erfahrung nährt. Der Weise geht auf die Suche, oder er ist nicht weise. Ihm sind die Grund-Wahrheiten, die alle angehen, wichtig. Sie umkreisen sämtliche Etappen des persönlichen Daseins.

Neben dem Materiellen steht das Geistige auf seinem Platz. Wie immer der Ausdruck der Seele gedreht wird, sie ist unzweifelhaft als etwas Geistiges ins Leben gekommen. Sie vollzieht die Existenz des Ich. Und sie bedient sich des Metaphysischen. Wie sehen die Fundamente aus? Auf ihnen wird der Abdruck der Lebenshaltung geformt. Das Staunen betont ihre Authentizität. Sowohl das Wissen als auch das Glauben wächst mit dem Staunen. Letzten Endes wird nicht der Weisheit, sondern dem Göttlichen geglaubt werden müssen. Damit kommt das Glauben auch nicht aus dem Inneren des Individuums heraus, sondern von außen. Die Disposition, es aufzunehmen, muss allerdings vorhanden sein. Es zuzulassen, darauf kommt es an.

Egal ob in der Wissenschaft, im Sport, in der Philosophie oder in der Natur, die Beschäftigung mit dem Realen macht die Plastizität des Individuums aus. So erfolgt auch die Kontaktaufnahme zum Übernatürlichen gezielt und bewusst. Neue Quellen erschließen sich. Es könnte zweifellos Freude bereiten, sich am Sein zu interessieren. Die Schlussfolgerung wird immer dieselbe sein: das Dasein der Seele endet nicht. Sie erfüllt das Prinzip der Kontinuität des Subjekts.

Das Resultat wird aller Voraussicht nach nicht sofort erfasst, zunächst einmal wird die Abwicklung dorthin durchlebt. Mit der ersten Sekunde nach der Geburt beginnen wir zu altern. Später lernen wir daraus die

Lektionen. Der Übergang von Jung zu Alt wäre fatal, würden die substanziellen Merkmale verblassen. Sie sind auf das Darüber-Hinaus abgestimmt. Wir wissen es ja, aber wir denken nicht daran, solange die Dinge nicht abgewickelt sind. Die Zeit tritt auf den Plan.

Auf einmal ist das in den Kreislauf einschneidende Weihnachten da. Mit der ersten Freude kommt die unnachgiebige Forderung, das eigene Ich zurückzunehmen. Plötzlich steht die Erneuerung vor Augen. Sie hat sich erfüllt, sie ist nicht mehr manipulierbar. Sie zurückzunehmen wäre fatal, gleichsam ein elementares Verhängnis.

Grundsätzlich räumt die christliche Version mit der Vorstellung auf, dass das Leben auf Abschied programmiert sei. Die Suchvorrichtung ist nach vorne, auf das Unvorstellbare ausgerichtet. Die Gefahr groß, sich vom Sein abzukoppeln. Die menschliche Intelligenz sollte voll beansprucht werden, um rechtzeitig dem Dilemma zu entkommen. Der Bezug zur Transzendenz erweist sich immer als Fortbewegung in Richtung eines Neuanfangs. Er erweist sich mehr als ein Facelifting des eigenen Wissens. Die Evolution hat ihren Ursprung nicht in der Veränderung, sondern in der Erinnerung. Diese stellt die Umleitung in die Erneuerung dar. Ständig werden die Gepflogenheiten der Geschichte auf diese Weise umgeformt.

Neubelebung und Modifizierung sind aufreibend. Das spürt jede Person als handelndes Subjekt. Umso mehr bedarf es der Pausen. Das Einfügen von Ruhe in die Spannung ist für den menschlichen Organismus verpflichtend. Den freien Ruhetag gab es immer schon, einst war er zum Tag des Sonnengottes deklariert. Die Evolution machte ihn zum Tag der Christen. Er hat seinen besonderen Rang in der Geschichte und führt schlüssig in den Prozess des Dankens.

Evolutionäre Notwendigkeiten drängen auf die Bewegung nach vorne. Menschen sind ständig mit neuer Erkenntnis und wachsender Erwartung konfrontiert. Sie dürfen sich nur nicht dorthin verirren, wo sie nichts mehr erkennen. Was sich jenseits unserer Erfahrung abspielt, ist der Aufstand gegen die Banalität im Leben. Wie könnte das Grundprinzip des Seins aussehen? Es ist überall zugegen, alles ist von ihm durchdrungen. Zu dieser Einsicht bedarf es keineswegs eines esoterischen Ausrutschers oder des Abgleitens in einen nebulösen Pantheismus. Sie lässt sich mit einem normalen Urteilsvermögen erfassen: wo spielt sich das kosmische Bewusstsein ab? wie stellt sich der Mensch funktional dazu ein?

Der Mensch als soziales Wesen stellt eine eigene Entität dar. Geformt wurde er in der Familie, in der Sippe oder in sonst einer Gemeinschaft. Stets ist er auf der Suche nach dem Übergeordneten. Seine Positionierung glaubt er im Kosmischen zu finden. Als Mitspieler im Universum kennt er immer nur seine eigene Rolle, nicht die des ganzen Stücks. Es kündigt sich ihm die Größe einer anderen Dimension an. Im Christentum erfährt er, dass der geschlossene Kreis der Abläufe durch das Absolute durchbrochen wurde. Damit werden auch die Zyklen der Natur ihre Unterbrechung finden. Die Menschheit wird am Ereignis von Betlehem nicht vorbei können.

Die Signale sind im Realen zu beachten, nicht am Beipackzettel. Der Einblick in die andere Dimension stellt sich vor. Die Spuren finden wir nicht erst später. Sie zeigen sich bereits im Diesseits. Wie erfahren wir das Sein? Dies ist insofern spannend, als dort der definitive Sinn verborgen liegt. Wir werden ihn nur ausmachen, wenn der Geist es uns vermittelt. Das hat nichts mit einer ominösen Geisterwelt irgendwelcher Harry-Potter-Vorstellungen zu tun. Ernsthafte kognitive

Architekturen, die wir auch sonst so schätzen, spielen da mit.

Indessen hängen unsere Gedanken, unsere Impulse selbst unsere Entscheidungen von dieser Art von Odem ab, der die menschliche Seele ins Leben kommen hat lassen. Unser Dasein findet ein Ende, nicht aber unser Vorhandensein. Darin unterscheidet sich die Materie klar vom Geist. Das Übernatürliche ist kein Wind, der über das Menschliche hindurchfegt. Ein Wind kommt von irgendwoher und weht in eine Richtung irgendwohin. Er kann nicht an allen Enden gleichzeitig sein, das Übernatürliche schon. Deswegen ist es auch allmächtig.

Unsere Nervenzellen kommunizieren über das Geflecht der Synapsen, meldet uns die Naturwissenschaft. Sie sind eine hochwertige Materie, die aber vergeht. Geist hingegen verlässt zwar die Materie, verschwindet aber nicht grundlos ins Nichts. Seele löst sich nicht auf, denn sie hat keine materielle Struktur. Eigentlich wäre dies plausibel genug, um nicht missachtet zu werden. Wir kennen natürlich die zwingende Konsequenz, dass Materie in die Endablage, in Staub, Asche oder was auch immer gelegt wird. Die Seele ist offenbar imstande, die Dimensionen zu wechseln. Die Details bleiben Spekulation, sie gehören nicht zu unserem Erfahrungswissen. Wir versuchen, uns Bilder davon zu machen. Sie werden aber immer unscharf bleiben.

Platon, einer der bedeutendsten Philosophen, ortet die Seele des Menschen schon vor seiner leiblichen Existenz. Er sieht in ihr die innere Kraft des Organismus. Jeder Mensch hat seine eigene innere Stimme. Auch die Komplementär-Medizin pflegt mit der ganzheitlichen Heilung die Auffassung, dass die menschliche Person mehr als aus Materie besteht. Die geistige Dimension des Menschen ist genauso unsichtbar wie die übernatürliche. Gefühle, Würde und Wollen sind unsichtbare Fakten.

Die sichtbare Hülle des Menschen, sein Körper, ist nicht seine Identität. Diese allerdings hat zur Aufgabe, die Verbindung zur geistigen Dimension aufrecht zu halten. Es wird von einer Geist-Seele gesprochen, die im Verborgenen liegt, aber immer aktuell ist. Platon verweist auf die Verwandtschaft von Seele und Idee. Er begründet die Seele im absoluten Denken. Hat also Seele etwas mit der menschlichen Gedankenwelt oder zumindest mit seiner Vorstellungskraft zu tun?

Die christliche Lehre geht noch weiter darüber hinaus, indem sie einen „verklärten" Typus von Körper andeutet. Sie will damit ausrücken, dass die menschliche Person auch körperlich nicht aufgegeben sein wird. Die Theologie räumte schon sehr bald mit der dualen Weltanschauung auf, die das Geistige als gut und das ‚Fleisch als böse' beurteilt. Auch Jesus Christus ist laut Berichten nicht als ein unbestimmter Geist auferstanden.

Wenn sich das Absolute im Sein ausdrückt, tut es dies nach christlichem Bild in den drei bekannten Spektren. Die Trinität steht für drei Personen, für drei Formen in einer Ganzheit, die schlussendlich als Liebe definiert ist. Wenn es also das Gebrochene im Materiellen gibt, ist die Aussicht auf den ungebrochenen Leib eine durchaus ernst zu nehmende Version. Eine einzigartige Verbundenheit tut sich auf.

Immer wenn die eigenen Existenz-Mechanismen neue Situationen erkennen, wird ein Handeln ausgelöst. Mit bestimmten Maßnahmen können wir ein ganzes Leben verändern. Was bringt's, wenn es zu rasch vorüber huscht? Es wäre doch absurd, wenn es nichts Dauerhafteres gäbe. Allmählich und stufenweise, nicht abrupt, lernen wir, wie sich Veränderung vollzieht. Die Realität reflektiert unsere Rollen. Dabei ist es irrelevant, ob es der biologische Stoffwechsel, das Wiedererstarken der Kräfte oder gar unser Dafürhalten sind, die unsere Persönlichkeit formen. Ausschlaggebend ist, dass unsere Existenz unwiderruflich präsent ist.

Was ist und was kommen wird, ist mehr als nur ein Akt unserer persönlichen Wahrnehmung. Deswegen sollten wir nicht in einer verschlossenen Zurückgezogenheit verharren. Die Orientierung geht weit über das Faktische hinaus. Kein Fehler ist größer als der, das Göttliche ansprechen zu wollen und sich selbst damit zu meinen. Es wäre der untaugliche Versuch, sich selbst als das Größte vorzustellen. Das Perfekte an uns gibt es nicht. Nichtsdestotrotz lieben wir die Perfektion und streben sie sogar an. Nach der Überwindung von Raum und Zeit könnte es eventuell möglich sein, an den Näherungswert asymptotisch heranzukommen. Wir wollen es erwarten und freuen uns darauf.

Die Überwindung aus der Zeit heraus könnte die Perfektion ausmachen. Sie liegt im Sprachgebrauch des Perfekts begründet. Inhaltlich ist es die Überwindung der Nichtigkeit, wodurch das Prinzip Hoffnung sich erfüllt. Noch wird das ‚Prinzip Advent' gelebt. Der als Witz verlängerte Reim: „Advent, Advent, ein Lichtlein brennt, erst eins, dann zwei, dann drei, dann vier und wenn das fünfte brennt, hast du den Advent verpennt" könnte eine kabarettistische Anregung sein, die Zeit der Erwartung nicht zu verpassen. Wir stoßen auf den Kick-off zum Leben als das große Projekt mit der Motivation auf Zukunft. Der Startschuss ist bereits erfolgt.

Der Aufwand ist gewaltig. Es bleibt nur mehr übrig, auf das ‚Akzeptieren' unseres Laufes zu klicken. Wir stoßen auf die Meilensteine unseres Fortkommens. Wie koordinieren wir sie? Den Auftrag haben wir jedenfalls vernommen. Ein Kick-off ohne Ziel wäre sinnlos. Wenn der Mensch den Zweck nicht erkennt, wird er scheitern. Die Zielmarke bleibt unserem Kalkül überlassen. Niemand versteht von vornherein die Einflussfaktoren, die die Zustände verändern. Schon gar nicht ist der Endpunkt des Vorgangs einsehbar. Das Risiko wird größer. Nur darf die Unsicherheit nicht mit Unmöglichkeit verwechselt werden. Die Vorgänge werden zu Ende geführt, der Knoten wird einmal aufgelöst sein.

Darum war es so gravierend notwendig, dass das Übernatürliche an den Menschen herangetragen wurde. Andernfalls wäre er an die Erkenntnis gar nicht herangekommen. Darin liegt Kraft und Leben. Das Wort dafür heißt Logos. Nur, das Spekulieren über Gott sollten wir lieber bleiben lassen. Die Sinnantwort erweist sich schon als geglückt, sobald wir uns mental und intellektuell in der Sinnstiftung gefunden haben.

Die Welt ist noch jung und auch die Personen darin, gemessen an der Geschichte des Universums, doch wie lange? Wo wird die Menschheit, wo werden all ihre Individuen bleiben? Ein Hineinschlittern in ein einziges Vergessen würde den Sinn verfehlen. Noch sinnloser ist das Aufbäumen gegen das Unvermeidbare. Die Zeichen der Zeit führen ins Zeitlose. Dort liegt die Befreiung vom Negativen, die Abnabelung vom Leid. Andere Religionen brachten immer schon fremde Opfer dar. Das Unfassbare in der christlichen Erfahrung ereignet sich, als der Christus selbst das immerwährende Opfer für die Menschheit vollbracht hat. Der Kontrast ist durch den Kreuzestod des Christus Jesus enträtselt. Es ist die unnachahmliche Erfüllung des Sinns.

Wie bewältigen wir die Strecke, um zur richtigen Erkenntnis zu gelangen? Wie finden wir dorthin, wenn wir es unbedingt wollen? Unabhängig von unseren Gewohnheiten sind wir auf ein gewisses Vermögen angewiesen. Das Interesse allein wird nicht ausreichen. Wir würden zu sehr Gefahr laufen, in die Abgründe von Utopien abzustürzen. Der Sinn wird auch nicht mit Kichern, Dummheit oder Verdrängen der Realität gefunden. Deswegen wäre es gar nicht schlecht, sich vom rein Technischen der Anschauungen zu lösen.

Es ist ergiebiger, der vielversprechenden Lust am Geistigen freien Lauf zu lassen. Sie findet sich in vielfältiger Form, in der Musik, im Sport, im Lernen und eben komprimiert im Glauben. Dem endlichen ‚Ich' steht ein geistiges ‚Du' gegenüber. Wenn wir uns nicht daran halten, verspielen wir weit mehr als nur das Wissen um unsere Existenz. Die Ergebnisse unseres eigenen Denkens könnten illusorisch sein. Also ist unser persönliches Leben auf Navigation angewiesen. Das ruft zur Wachsamkeit und zu Engagement auf. Ohne Training wird die Physis stumpf, ohne geistige Übung werden wir rückständig, ohne Einsatz im Religiösen bleibt uns die

Weisheit des Sinns verschlossen.

Wie machen wir es im physischen Bereich? Wir achten darauf, wie unsere körperliche Maschine funktioniert, damit wir das Beste aus ihr herausholen. Wir tasten ab, wieviel unseres Potenzials genutzt wurde. Ein gut vorbereiteter Trainingsplan verspricht, dass noch mehr herausgeholt werden könnte. Wenn die Mechanismen einmal nicht mehr unseren Vorstellungen entsprechen, werfen wir uns ja auch nicht kurzweg in die Entsorgung. Auch das Angeschlagene am Menschen hat seinen Sinn.

Immer wieder versuchen wir, unser höchst persönliches Getriebe so gut es geht zu ölen. Sogar die Denk-Kapazität ist kultivierbar. Unsere Zentraleinheit mit ihrem umfassenden Arbeitsspeicher ist auf Lernen programmiert. Ist das Programm optimiert, treffen wir unsere Entscheidungen. Aber wir bestimmen nicht den Zeitpunkt. Je älter wir werden und je mehr wir gelernt haben, desto mehr verstehen wir den Zusammenhang von „Heilung“. Alter und Erfahrung treffen aufeinander, wenn die Wege des Geistigen, der Kommunikation und der Entscheidungsfindung inklusive der vielen Sachgebiete zusammenführen. Doch auch im Alter ist man noch ein Werdender. Der Weg zur Sinnfindung wird eine Frage des Lebensstils.

Es darf schon nachgefragt werden, ob man überhaupt gelebt hat oder lebt oder weiterlebt. Die Erfüllung wird zur Befreiung. Das ist der Hintergrund von Weihnachten und Ostern für jeden Einzelnen. Wenn wir aus unserem weltanschaulichen Cockpit heraus alle Aktivitäten steuern, die unsere Persönlichkeit ausmachen, wird der Kontroll-Turm des Übernatürlichen uns mit Informationen versorgen. Es besteht also keine Gefahr, dass die Richtung nicht vorgegeben wird. Wie sonst könnten wir durch die Stürme navigieren und die unentrinnbaren Gezeiten des Seins austarieren? Nichts wird daran ändern, dass das Übernatürliche in jedem Moment alles ändern kann.

Der Sinn entwickelt sich keineswegs, wie es nach unserem Kopf gehen müsste, weil wir es so wollen. Dennoch verfügen wir über Instrumente, auf denen wir dann selbst spielen. Wir haben das Stück so aufzunehmen, wie es kommt, so wie es eben passiert. Und da stellen wir nach langjährigem Üben fest, dass die Vollendung der Erwartungen sich im Geistigen abspielt. Die Dinge entwickeln sich für die menschliche Kreatur nicht nutzlos. Es fühlt sich gut an, die Facetten des Seins berühren zu dürfen. Und wenn sich das Rad der Zeit dreht, dreht es sich nicht sinnlos, immer wird es auf den Sinn zusteuern.

Der innere Spirit sieht sich vor der schwierigen Aufgabe, die Dinge zuzuordnen. Dabei machen wir die Erfahrung, dass es dann noch einen geistigen Einfluss gibt, der von außen kommt. Der Versuch, die geistige Kraft zu verharmlosen, scheitert. Im Christentum wird sie als Heiliger Geist definiert. Nach christlicher Auslegung ist er immer vorhanden, eben weil er das Bindeglied zwischen den Dimensionen darstellt. Direkt vermittelt er das, worauf das Individuum angewiesen ist. Meint der Mensch, er heble die Rationalität des Geistigen aus, verunglimpft er das Übernatürliche.

20. SINNGEBUNG

Wenn wir uns vom Sinn nicht zu weit entfernt haben, kommt er uns bekannt vor. Immer wieder erinnert die Logik der Weisheit daran, dass nicht wir Menschen die Regisseure der Welt sind. Als Akteure sind wir natürlich frei, uns den Regeln der Allmacht zu widersetzen. Dann sind wir versucht, uns selbst zu inszenieren. Was bringt es uns?

Hinterfragen wir, warum es hier und heute überhaupt etwas und jemanden gibt. Was löst den Kerninhalt unserer Existenz auf? Wir erleben diese Kategorien, denn sie sind von Anfang an da. Die Gefährdung kommt aus der folgenschweren Indifferenz der Ganzheit gegenüber. Trotzig hält sich die Annahme, dass das Göttliche, mag es auch existieren, nicht präsent sei. Das wäre der pure Widerspruch zur Begegnung mit Jahve, dem „Ich-bin-der-ich-bin“.

Wie sollte denn nach unserer Meinung, auf die es ja angeblich doch nicht ankommt, die Nähe der Allmacht ausstrahlen? Wenn sie verleugnet wird, will man die Bestimmtheit der Existenz ins Fatalistische abdrängen. Die menschlichen Sensoren des Vertrauens neigen dazu, schnell abzustumpfen. Doch allen Unkenrufen zum Trotz bleibt die vertrauliche Kraft des Übernatürlichen dieser Welt erhalten.

Ist es denn so, wie manche meinen, dass es den Schöpfer-Gott zwar gibt, dass er sich aber verabschiedet hat? Diese Idee ist Ausgangspunkt der fernöstlichen Gedankengänge im Buddhismus oder Hinduismus. Beide Richtungen sind von der Entgöttlichung der Natur eingefangen. In der uralten vedischen Tradition des Hinduismus gibt es neben den vielen anderen Göttern den Namen des Gottes Vishnu, der die Zeit in Bewegung setzte, das Universum durchdrang und den Raum ausmaß. Tatsächlich gab es in dieser Religion die Verbindung des Irdischen mit der kosmischen Weite. Die Götter haben sich verabschiedet. Von da an war der Animismus das vorherrschende Element, also die Allbeseeltheit der Welt. Deshalb wird auf eine ewige Ordnung gesetzt, auf das Gesetz des Dharma. Der ewige Kreislauf des Lebens verwirklicht sich in der Wiedergeburt.

Das führte dazu, dass Im Buddhismus das „individuelle Ich“ vollständig geleugnet wird. Die Meditation soll die „Ekelhaftigkeit“ des Leibes – alles ist Leid – verbannen. Der Erlösungspfad besteht darin, das Erlöschen und das Nirwana zu akzeptieren. Somit erweist sich der Buddhismus als eine Lehre der Weisheit eines ‚Erleuchteten‘, aber nicht als Religion im Sinne eines Gebunden-Seins an etwas Absolutem. Dafür strebt man danach, bestmöglich die „Nullwirklichkeit“ zu erreichen. Immerhin sind die Strapazen dorthin nicht unerheblich. Am Ende gibt es keine Aufwertung des Geschöpfs, sondern seine Aufgabe. Was nach der Befreiung übrig bleibt, ist das Nichts. Man könnte einwerfen, dass es dazu nicht unbedingt des Umwegs über die Askese bedarf, es genügte der pure Atheismus.

Noch bevor das Christentum einsetzte, formulierte der römische Dichter Horaz „Gott ist es, der das Tiefste ins Höchste zu verwandeln vermag, der den Stolzen erniedrigt und das was im Dunkeln ist, licht werden lässt.“ Die Existenz des Göttlichen was im Unterbewusstsein des Menschen immer schon präsent. Dass es de facto so ist, musst ihm erst durch die Ereignisse erklärt werden.

So wie Planeten kein eigenes Licht haben, hat das Individuum die Strahlkraft des Lebens nicht aus sich heraus. Wenn wir wollen, dass wir in unserer Weiterentwicklung nicht scheitern dürfen, müssen wir auf die sinnstiftende Kraft des Glaubens setzen. Es könnte sein, dass wir fündig werden. Warum sind wir eigentlich imstande, zu glauben? Da das subjektive Leben vom Übernatürlichen bestimmt ist, kann die Beziehung zu ihm nichts Abstraktes sein. Das Nachdenken über die grundlegenden Wahrheiten vertieft sich in einem Augenblick des Lebens, der sich nicht wiederholen wird. Es wird sich weiter entwickeln. Darum will es gepflegt sein.

Christentum sei eine Moralreligion, ist ein weitverbreiteter Irrtum. Definitiv ist es eine Beziehungsreligion. Sie reduziert sich weder auf Riten noch auf Moral. Dass sie eine Erlösungsreligion ist, erhöht ihren Attraktivitätsgehalt. Für Moral gibt es verschiedene Deutungen. Generell umschreibt sie die Spielregeln für die Zivilgesellschaft. Sie erleichtert ein verhältnismäßig verträgliches Zusammenleben von Menschen. Ethik ist schon eher dazu da, das jeweils höchste Gut zu bestimmen. Sie hinterfragt, wie der Mensch handeln sollte. Sie kommt nicht um die Frage herum, ob es das Göttliche gibt und ob es auch erfahrbar ist.

Warum müssen wir immer erst austesten, ob etwas nützlich ist? Und wenn wir so weit sind zu erkennen, dass es durchaus nützt, drängt sich sofort die nächste Frage auf: trifft es überhaupt auf uns zu? Da das Absolute immer spürbar ist, ist auch das Transzendente immer vorhandene Gegenwart. Es liegt nicht in der Ferne. Die christliche Lehre vermittelt, dass das einzelne Individuum nicht erst wertvoll wird, sondern schon von vornherein wertvoll ist.

Die Logik des Wissens versucht, weiter zu bohren. Kann ich wissen, was das Ich ist? Kann das Ich sich selbst sehen? Können die Synapsen sich selbst denken? Das persönliche Ich als das Sammelsurium aus widersprüchlichen kleinen Ichs muss noch allerhand lernen. Mit einer selbstgestrickten Philosophie kommen wir nicht weit, selbst die größten Philosophen nicht. Sie fragen vergeblich, was oder wer perfekt wäre, oder was es für Alternativen gäbe.

Psychologisch Interessant ist die mentale Begegnung mit dem eigenen „Ich“. Sollte ich mein Konterfei aus der Jugendzeit treffen, blicke ich auf das zurück, was ich war. Ich sehe im Gesprächspartner mich selbst, welch fantastische Gegenüberstellung. Was würde ich mir selbst, der ich vor etlichen Jahren war, sagen? Was müsste ich mir im Gegenzug von meinem Selbst anhören? Wie dachte ich damals, wie handelte ich? War ich wer anderer und doch ich? Damals entwickelte sich bereits die Identität meines „Selbst“. Im gegenwärtigen Zustand des „Ich“ stellt sich die gleiche Frage, woraus sich meine Person im Augenblick definiert. Und nicht weniger brisant, aber immer noch hypothetisch, ist die Ermittlung dessen, der ich sein werde.

Direkt vor unseren Augen entfaltet sich eine neue Einsicht. Bei all den Widerwärtigkeiten, die uns entgegenblasen, gehen wir dem Übernatürlichen nicht verloren. Dafür gibt es ein biblisches Sinnbild, das des Guten Hirten. Wir sollen nicht verloren gehen. Eine unglaubliche Stärke steckt dahinter.

21. SINNFOLGEN

Das Individuum fühlt sich erleichtert, wenn es Automatismen vollziehen kann. Das Erlernte wird mühelos ausgeführt, sobald es automatisiert ist. Dann wird es nicht mehr penibel durchgekaut, es wird geradewegs getan. Das Kind geht und läuft irgendwann von alleine, Sprache wird einfach so gesprochen, sportliche Bewegungen werden locker ausgeführt, das Musikstück wird frei gespielt. Doch es genügt nicht. Das Neue, nicht das, was man schon hat, reizt. Darin liegt das Prinzip von Sehnsucht. Wer durch Krankheit oder durch einen Unfall alltägliche Fertigkeiten verloren hat, beginnt wieder mit der Zielsetzung, das einmal Gekonnte wieder oder anders zu erlernen. Immer bleibt die Suche. Der Automatismus wird gesucht, der das bewusste Handeln vernachlässigt.

Ähnliches scheint in unserer Spiritualität vor sich zu gehen. Erst nach eingehendem Lernen wird sich eine gewisse Optimierung einstellen. Wir wünschen sie uns, wir lechzen danach. Erst dann fühlen wir uns frei und in unserer Existenz aufgehoben. Ständig bauen wir an unserem Leben. Irgendwann einmal müsste der Bau der Architekten fertiggestellt sein, das Lern-Skriptum kann nicht ständig durchkaut, die Sportstrecke nicht immer wieder durchlaufen, am Musikstück oder an der Malerei nicht endlos gefeilt werden.

Wenn der Zustand der Erfüllung da ist, ist es mit der Bastelei vorbei. Das vorübergehende Bemühen ist auf den Genuss des Vollendeten gerichtet. Das Hoffen auf die geglückte Realisierung gehört zum menschlichen Wesen. Das Bejahende zu spüren, ist etwas Besonderes. Darin liegt die Begrifflichkeit von Himmel und Hölle. Plötzlich erhalten die Bezeichnungen, die wir schon längst verworfen haben, eine Wertigkeit, die frei von allem Trivialen ist.

Es gibt leider viel zu viele pseudoreligiöse Anschauungen, die Ideale von sich selbst und der Welt fabrizieren. Doch sie helfen nicht weiter. Sobald der Mensch den Bezug zur Transzendenz verloren hat, ist der Selbstbetrug vollzogen. Wie schützt er sich vor den Unbilden und Katastrophen, denen die Psyche ausgesetzt ist? Sich an dem festzuhalten, was er sich selbst konstruiert hat, wird keinen Nutzen nach sich ziehen. Im Gegenteil, die Verlockungen der Irrtümer werden sich vermehren. Woran soll sich dann das sinnsuchende Ich orientieren?

Die Geschichte der Menschheit überliefert präzise Antworten. Der Name Jahve, „Ich bin da“ wird Programm. In den alten biblischen Schriften ist zu lesen, dass das bisher Verborgene sich dem fragenden Menschen im brennenden Dornbusch mitteilte. Im

Judentum erkennen wir gelebte und geglaubte Geschichte. Später eröffnet das Neue Testament die Offenbarung beim historischen ‚Letzten Abendmahl'. Es gibt dem Menschen die Chance, sich aus der Obsession zu befreien, es könnte doch anders sein. Es generiert das umfassende Sinnverständnis vom Ereignis der Auferstehung. In beiden Erfahrungen zeigt sich ein schützender Jahve. Alles kreist um den einen Gott, der sich in Menschwerdung und Auferstehung offenbart. Nirgendwo anders hat sich der Grund des Seins gefunden. Um aufzuerstehen, ist das Leben notwendig. Es sind keine Launen im Spiel, es ist eine Realität, die angenommen werden kann. Warum leben wir? Bloß um der Spielball irgendeiner evolutionären Marotte zu sein? Die Ursache von allem ist nicht vielfältig und schon gar nicht widersprüchlich.

Großartige Phänomene werden gesichtet. Wie kommen ihre Muster ins Bewusstsein? Der Aufbruch und die

Reise tragen zur Veränderung der Bilder bei. Viel Neues wird uns begegnen. Alles entspricht dem Sinn. Dazu sollten wir bereit sein und zwar nicht erst, wenn wir müde und abgespannt sind. Aus dem Hören und Zuhören wechseln wir zum Sehen. Es übersteigt den Schein. Ist es die Bestimmtheit des Darüber-Hinaus, die sich ausdrückt?

Die Inhalte können niemandem aufgezwungen werden. Das wäre der Widerspruch zum freien Willen. Aber die Erkenntnis durfte und musste verbreitet werden. In der Folge zeigte sich, dass menschliche Praxis und göttliche Lehre nicht immer kompatibel waren. Das wissen wir alle. Wenn auch in der religiösen Ethik kein Platz für Gewalt vorgesehen ist, war selbst die Institution Kirche immer auch eine sündige Kirche. Es hängt wohl damit zusammen, dass sie von Menschen repräsentiert ist. Viel Blut ist unter religiösen Motiven vergossen worden, Kreuzzüge, Inquisition, Hexenverfolgung fanden statt und in der Neuzeit vieles anderes mehr. Wenn auch das meiste davon von irregeleiteten Mechanismen ausgeht, das Negieren dieser Trauerspiele wäre psychotisch.

Schuldfrei zu bleiben war aber nie das Postulat. Der Auftrag bleibt der gleiche: Kirche hat zu verkünden. Ihre Geschichte war immer etwas Schwieriges. Ihre Ungereimtheiten passen in das Umfeld der jeweiligen Gesellschaft. Auch die gläubigen Christen sind vom täglichen Kampf um die eigenen Schwächen geprägt. Das singuläre Individuum kämpft ebenso wie die gesamte Gesellschaft. Indessen ist offenkundig geworden, dass wir ausgerechnet in der Schwäche erkennen, wer wir sind. Alles andere als sich dem Übernatürlichen anzuvertrauen wäre unvernünftig.

Es liegt an der menschlichen Oberflächlichkeit, dies entweder nicht anzuerkennen oder zu verniedlichen. In diesem Gemisch geht unter, dass nichts auf eitler

Wonne beruht. Gott kann auch zürnen. Dennoch wird anstatt einer Drohbotschaft die Frohbotschaft vermittelt. Es wird nicht gedroht, aber gewarnt. Werden die Warnsignale vom Menschen überstimmt, kann das nicht gut enden. Sie zu übersehen, wäre für die menschliche Bewusstheit geradezu beleidigend. Trotzdem könnten wir den Sinn lockerer und fröhlicher aufnehmen. Sonst geht die Heiterkeit, die der Existenz innewohnt, verloren. Das Lachen ist im Glauben nicht verboten. Verbote wurden vorwiegend von religiösen Anarchisten in den Vordergrund geschoben. Schon wer dem Göttlichen vertraut, hat gut lachen.

Das religiöse Empfinden findet sich in allen möglichen Lebensmodi, in Musik, Literatur, Kunst, sogar in Politik und Wirtschaft, eben auch dort, wo sich Gegensätze abspielen. Die Stilelemente der Technik, Wissenschaft und Kunst formten die Bewohner dieses Planeten. Dazu vermengte sich die Qualität des christlichen Weltbildes.

Es hat den Anspruch, Antworten auf die übergeordneten Fragen der Zeit und des Lebens zu geben. Es liegt im persönlichen Ermessen jeder Person, sich pro oder kontra zu entscheiden. Doch unauffällig drängt sich die Versuchung auf, die Dinge sich so zu richten, wie man sie gerne sehen möchte.

Die Psychologie weiß inzwischen, dass es so etwas wie unverrückbare Stilelemente des seelischen Wohlbefindens gibt. In unserem Zivilisationsgrad metzeln wir ja nicht mehr blindwütig alles nieder. Der Mensch wurde kultiviert. Trotzdem schimmert das menschliche Versagen immer durch. „Homo homini lupus“ hieß ein Spruch im alten Rom, „der Mensch ist dem Menschen ein Wolf“. Vielleicht kommen wir dann auf die Idee, gewisse Vorgaben wie Ethik und Moral nicht zu ignorieren.

Darüber hinaus wäre es schon gut, vor der Schöpfung

und vor dem/der Nächsten Ehrfurcht zu haben. Das ethische Commitment ist ein unentbehrliches Format. Es füllt aber nicht die ganze Breite unserer Verantwortung aus. Philosophisch ausgerechnete Null-Summen-Spiele reichen für die Problemlösung nicht aus, utilitaristische Gleichungen schon gar nicht.

Das ‚Neue Testament' dreht sich um die Kernaussage, dass die Menschen dem Göttlichen nicht gleichgültig sind. Es fällt der irdischen Kapazität schwer, diese Quintessenz zu verstehen. Das Irdische ist die Ursache für die geistige Enge des Menschen. Allein das Nachdenken über Zeit, Sein, Sinn und Allmacht lässt die Undurchsichtigkeit erahnen. Wenn die Menschheit vom Tod Christi am Kreuz hört, reagiert sie im Nachhinein widersprüchlich. Entweder erschaudert sie oder sie wird gleichgültig. Wir verstehen es nicht, obwohl wir dazu gehören. Und trotzdem hat es ausschließlich etwas mit uns zu tun. Genau deswegen übernahmen unzählige

Menschen dieses Ereignis in ihr Bewusstsein und weitere Millionen werden folgen. Es brachte etwas und veränderte zumindest die innere Welt vieler Menschen. Es erinnert daran, dass es darauf ankommt, was das Übernatürliche vom Menschen verlangt. Denn generell will niemand das Instrument einer Unrechts- oder Unrichtigkeitsstruktur sein.

22. PARADOXON DES ABSTRAKTEN

Die philosophische Sättigung der christlichen Erkenntnis des Absoluten gipfelt in der Trinität. Die Wahrnehmung der Wesenseinheit Gottes in drei Formen ändert nichts an seiner Unveränderlichkeit. Sie ist eine Plattform für das menschliche Verstehen. Das Verstehen der Zusammenhänge in großen Dimensionen ist der höchste Stand der Entwicklung. Lässt man die Zeit beiseite, müsste die Trinität immer schon unverfälscht da gewesen sein. Sie erfolgte nicht erst durch die menschliche Geburt des Jesus Christus.

Ohne die Identität der Dreieinigkeit im christlichen Glauben würden die Gläubigen gar keine Beziehung zum Übernatürlichen haben. Anders könnte man das Absolute gar nicht wahrnehmen. Die pragmatischen Worte zur Trinität erklärte der Christus selbst, indem er sagte „Taufet alle Völker im Namen des Vaters, des Sohnes und des Heiligen Geistes“.

Die Trinität als solche braucht dem begrenzten Fassungsvermögen des Menschen nicht absurd vorkommen. Auch das Sonnenlicht wird in einer dreifachen Anschauung erfahren - man darf nur nicht hineinschauen - im sichtbaren weißen Licht, im infraroten und im ultravioletten. In der christlichen Auslegung sind Gott Vater und Sohn immer ein und dasselbe. Muslime würden dies für unbegreiflich halten. In der biblischen Konnotation heißt Vater immer Schöpfer. Wie erstaunlich ist es doch, wie die irdische Präsenz des Göttlichen über die Person des ‚Menschen-Sohnes‘ konkret gemacht wurde. Zusätzlich ereignet sich noch ein Dazwischen, das Im Geist mit der Welt kommuniziert. Der Raum zur Erkenntnis ist offen, absolut nicht geschlossen.

Verständlich, dass die Fragen sich ins Immense multiplizieren. An den einen Gott in drei Personen zu glauben, ist jedoch nichts Diffuses. Die Wissenschaft unterstreicht sogar solche Annahmen. Komplementarität ist ein Begriff aus der Erkenntnislehre. Er kommt sowohl in der Psychologie, als auch in der Biologie und in der Physik vor. Bereits der Atomphysiker Niels Bohr hat die Funktionen der Komplementarität beschrieben. Inzwischen basiert die Quantenphysik auf dem Prinzip der drei markanten Aspekte. Quantelung ist die Eigenschaft, dass ganz verschiedene physikalische Größen (Energie, Drehimpuls, Ladung) ein Vielfaches eines Betrages sind, dem Quant. Die dritte Kraft ist die Wechselwirkung. Der Physiker Philberth erläutert am Konnex von Welle, Teilchen und Wechselwirkung, wie drei methodische Beschreibungen eines Vorganges verschieden sein können, aber trotzdem zusammengehören.

Insofern ist die Kausalität der Ergänzung auch wissenschaftlich nichts Unverständliches. In der religiösen Betrachtung beschreibt sie die Bindung an die verschiedensten Kräften des Daseins, so auch zum Menschsein. Das dreidimensionale Gottesbild entspricht dem kommunikativen Austausch zwischen Gott und seinem Geschöpf Mensch. Letzterem wird konkret gezeigt, wie diese Relation in absoluter Vollkommenheit wirkt. Die Existenz wird zu einem durch und durch göttlichen Aspekt.

Im Johannes-Evangelium findet sich eine Beschreibung, dass Christus vor seiner Menschwerdung in der Gestalt Gottes mit Gott völlig deckungsgleich war. Er selbst verweist auf eine Herrlichkeit, die er hatte, bevor die Welt war und bringt das Bild „ehe Abraham war, bin ich“. Dieses Evangelium beginnt mit dem berühmten Satz „Im Anfang war das Wort und das Wort war bei Gott, und Gott war das das Wort, Im Anfang war es bei

Gott. Alles ist durch das Wort geworden und ohne das Wort wurde nichts, was geworden ist". Damit wurde „Logos" auch zum Titel des Jesus Christus.

Die Existenzräume sind für den Menschen bilderreich erlebbar. Sie gestalten die Welt. Wir stoßen dabei auf eine andere Art der Komplementarität, nämlich zwischen Intellekt und Spiritualität. Wie erkennen wir uns selbst? Unser Aussehen verändert sich, vielleicht würden wir uns nach längerer Zeit selbst gar nicht mehr erkennen. Manchmal tun wir es sogar, wenn wir verschiedene Fotos von uns betrachten. Aber wir fühlen und spüren uns über die äußere Verwandlung hinaus als ein und dieselbe Person. Wir tun das, was in unserem Kopf vor sich geht. Der Absturz in die Nichtannahme des Geistigen würde unsere eigene Gegenwart in Frage stellen.

Apathisch sich dieser Entwicklung hinzugeben, wäre

keine gute Antwort. Letztlich kommen wir zu dem Schluss, dass der Erfolg des Überlebens darin besteht, sich nicht auf sich selbst, sondern auf das Übernatürliche zu fokussieren. Langfristig und robust überleben kann der Mensch nur im jenseitigen Leben. Warum fällt es dem Geschöpf so schwer, es zu akzeptieren? Es gibt keine andere glaubhafte Version von Existenz. Wem verdanken wir sie überhaupt?

Mit der Antwort nähern wir uns der Definition des menschlichen Lebens. Die Momente der Selbstdarstellung bleiben nicht aus. Sie entwickeln sich dann doch aus dem Vertrauen in das Überirdische. Auf diese Weise erfährt das Individuum Kraft und Stärke. Die Gebundenheit ist keinesfalls steril. Sie weckt den Bedarf an Freude und Erfüllbarkeit, aber nur dann, wenn über kurz oder lang der Sinn des Lebens akzeptiert wird. Ohne Sinngebung wird das Positive irrelevant.

23. BEZIEHUNG ZUM ABSOLUTEN

Was wir tun, liegt in unserem Wollen. Es ist aber immer von unbestimmbaren Kräften begleitet. Was wir mitbekommen haben, sollten wir annehmen. Wenn wir dermaßen innehalten könnten, wäre es uns möglich, dem Absoluten zu begegnen. Kommunikation nach innen kann zur Veränderung in der Gedankenwelt führen. Die Neurobiologie weiß inzwischen, dass beim Akt des Betens ähnlich wie beim Meditieren bestimmte Areale des Gehirns erfasst werden. Es wird bestätigt, dass dabei das Gehirnzentrum für Angst und Stress verkleinert wird. Beten ist ein Instrument, gelassener, vielleicht auch kreativer zu werden.

Nur, darauf allein kommt es nicht an. Beten ist nicht bloß eine psychologische Übung. Die Bedeutung liegt in der Qualität der Lebensinhalte. Sie kulminiert in der Suche nach der Wahrheit. Sie bedarf der Anstrengung, sie ist sogar ein Kampf. Sie kräftigt aber auch. Vermutlicht war es immer schon so.

Lassen sich Sinneseindrücke ausblenden? Wem nützen sie? Zwar sind sie äußerst undurchschaubar, aber wir entkommen ihnen nicht. Trotzdem neigen wir dazu, sie zu beeinflussen. Die Konditionierung besorgen wir uns selbst. Was werden wir bevorzugen und was ist zum Abgewöhnen? Die Ansicht wird per selbsternannter Formel zum Maßstab unserer eigenen Qualität.

Es steht aber nicht das eigene Empfinden auf dem Programm des Endgültigen. Der Geschmack darf nicht zur Kuriosität entarten. Das Zusammenspiel sämtlicher Kräfte ist für die Qualität des Resultats entscheidend. Die Bedeutung, die dahinter steckt, darf nicht unter den Tisch fallen. Das wäre Betrug in Vollendung. Eigenartige

Projektionen tun sich auf. Was ist mit der negierten Version gemeint? Gewaltige Fliehkräfte sind es, die auf uns einwirken. Sie bestimmen den Modus unseres Rennens im Leben. Wir erschauern, wenn jemand von uns geht und wir nicht wissen wohin. Kurzfristig werden wir nachdenklich und setzen das „Let's go" in den Wettlauf des diesseitigen Lebens fort. Das Verweilen in Gedanken ist unbequem geworden. Dabei vergibt man sich die Option, dass mehr dahinter steckt. Das Hineintauchen in die spannenden Erwartungen des Danach wird leichtsinnig verspielt.

Zur Kommunikation mit dem Absoluten regt Teresa von Avila mit den Worten an „Nicht zu viel mit uns selbst, mehr mit Gott zu verkehren. Sonst steigen wir nie aus dem Schlamm unserer eigenen Erbärmlichkeit heraus." Der Unbarmherzigkeit von Raum und Zeit wird die Barmherzigkeit im Göttlichen entgegengehalten. Der Versuch ist es wert, über uns selbst hinaus zu leben. Der

Mehrwert ist nicht zu verachten. Leben, bloß um zu sterben, ist chancenlos. Sterben, um weiter zu leben, macht Sinn, auch wenn es uns schwer fällt dies so anzunehmen. Terminales Leid ist nicht terminales Leben. Leben ist mehr, Hoffnung ist immer vorhanden, solange man denken und handeln kann.

Die Lehren aus den ersten Weihnachten haben ihre Geltung nicht verloren. Irgendjemand sinnierte vor sich hin: „Wenn Gott auf diese Welt kommt, dann werden wir ihn lieben oder übersehen und womöglich verpassen. Er kommt sicherlich nicht geschützt in einer Thermodecke, mit Lautsprecher in der Stimme, einer Panzerfaust in der Hand, nein, es kommt ein Herz." Es wird zum Charakteristikum des Christentums, dass nicht wir zum Göttlichen kommen, sondern das Göttliche zu uns kommt. Es erscheint nicht, es wird geboren.

Wie glaubhaft klar es doch ist und so kolossal gigantisch!

Niemand will betrogen werden, schon gar nicht an dieser Feier, die vom Licht der Welt spricht. Die Realität zeigt sich im Licht, nicht im Dunkeln. Die moderne Komparserie von Weihnachten wird nicht mit einem Augenzwinkern darüber hinwegtäuschen können, dass es einmal grundlegend so geschah. Den Coca-Cola-Figuren von Santa Claus oder den Namen von Elchen fehlt im Weihnachtsempfinden dieser Bezug zur Realität, wo das Endgültige im Spiel ist. Über diese Wirklichkeit hinaus gibt es nichts, oder es hat überhaupt nichts gegeben. Oder fliehen wir vom Absoluten ins Relative, weil wir Angst vor der Wahrheit haben?

Wir greifen auf ein Zeichen, das die Zuwendung des Göttlichen bedeutet. Was jede/r Einzelne für sich im Stillen reflektieren kann, wird auch im größeren Stil und auf feierliche Weise begangen. Schließich sind keine Grenzen gesetzt, wenn es um die Verehrung des Göttlichen geht. Wir wissen es oft nur nicht. So entwickelte sich auch der Ritus des Segnens. Wir begehren solche Gesten und Worte, auch wenn wir sie manchmal als überflüssig betrachten. Rituale sind Momente des Wahrnehmens. Anders begreifen wir die Inhalte nicht. Das verlangt Zeit. Für stundenlange Prozeduren bringen wir sie oft nicht mehr auf, wohl auch nicht die Lust, etwas Beruhigendes zu verspüren.

Dazu werden sich Menschen aufraffen müssen, oder sie werden am Ende nicht mehr sein. Was können sie sonst schon in diesem Universum bewirken? Was sind wir eigentlich an diesem interessanten Ort, den wir „unsere Erde" nennen? Die Antwort dürfte der Prophetie entsprechen. Die Bibel führt uns gigantische Werteaussagen vor Augen. Die Erzählungen handeln nicht nur von den Taten, auch von den Reaktionen auf das, was geschehen ist und über die Rangordnung der Werte, über das Leben, über das Licht. Es braucht diese Daten, um die Zusammenhänge zu verstehen.

Warum erscheint die Kommunikation mit dem Göttlichen so unglaublich, dass sie für manche unerreichbar scheint? Sie halten es nicht aus und laufen davon. Die Notwendigkeit zur Veränderung im Menschsein wird evident. Es ist gut, dass der Wandel bereits in den Köpfen steckt. Die Suche wird zu einer Lebensaufgabe. Sie findet in allen Phasen unseres Daseins statt. Wir erfahren dadurch ununterbrochen Neues. Wir werden in der Reform der temporären Zustände bestätigt.

Der Mensch hat schon oft versucht, hinterrücks dem Übernatürlichen Grenzen zu setzen, nur es gelang ihm nie. Töricht wäre es, sich nicht den Fragen des Lebens zu stellen. Die komplette Information wird es in definitorischer Klarsicht zwar noch nicht geben. Doch wenn eine Verbindung zur höchsten Autorität vorhanden ist, sollte sie auch angenommen werden. Über die Maßen sich nur mit sich selbst zu beschäftigen, ist naiv. Da das Göttliche nicht auf sich selbst bezogen ist, wäre es für das Geschöpf „Mensch“ höchste Zeit, sich von der eigenen überhöhten Selbstbezogenheit zu lösen.

Wir brauchen uns nicht ständig zu beweisen, wer wir sind. Auch die Angst vor der Zukunft wird belanglos, sie ist ein äußerst ungesundes Unterfangen. Die Wahrheit indessen befreit. Die Hintergründe lassen uns wissen, dass es nicht nur bergab geht. Ab der Mitte des Lebens konzentrieren wir uns auf die essenziellen Aufgaben. Das perfekte Vorbeilaufen daran, tut niemandem gut. Schaffen wir es, das eigene Ich zu bewältigen? Wir sind von der Zukunft nicht mehr ausgeschlossen. Die übertriebene Ichhaftigkeit sollte abgelegt werden.

Die Bewusstheit und mit ihr die persönliche Einstellung werden stets neu justiert. Es gibt die direkten und indirekten Zugänge. Noch erlaubt das Zeitprofil,

Korrekturen vorzunehmen. Ständig sind wir dabei, Neues zu erfahren und zu lernen. Es wäre paranoid, unbesonnen die Zustimmung zum Sein abzulehnen. Selbsttranszendenz, über sich hinaus auf etwas zu verweisen, hat mit Sinnstiftung zu tun. Ist uns die Lust am sinnvollen Leben abhandengekommen? Oder blicken wir nur mehr wie gebannt auf die Play-Game-Station der Unwirklichkeit, ohne weitere Kreativität und Kompetenz?

Die Lücken in der Sinnlosigkeit werden aufgedeckt, denn gewollt wird das Lebendige. Religiosität schließt ein, dass der Wille für ein höheres Ziel zum Prinzip erklärt wird. Niemand wird das Absolute außer Acht lassen können. Wohlfühlen werden wir uns nur in der Fülle des Sinnhaften. Wie steht der Begriff des Katholizismus in diesem Zusammenhang? Wenn ‚catholicos' ‚allumfassend' heißt, meint es damit alle Orte, alle Menschen, alle Zeiten, vor allem keine Ideologie.

Universalität wird greifbar. Verwiesen wird auf den Inhalt einer Identität, die zeitlos ist. Zu dieser fundamentalen Aussage gehört, dass kein Zustand übergangen wird. Und keine späteren Erkenntnisse müssen eingeschmuggelt werden.

Von unserem irdischen Menschsein wissen wir, dass es ein gebrochenes, ein unvollständiges ist. Deswegen verlangen wir nach Erfüllung. Daraus resultiert sehr schnell, dass der Mensch kein Zufallsprodukt ist. Er hat Geschichte, er hat Sinn. Sollten wir darin eine Aufgabe erkennen, werden wir verstehen, dass sie zum Wachsen der individuellen Persönlichkeit dazugehört. Das Individuum kann den bestimmende Konnex zum Übernatürlichen nicht herausnehmen.

Das Bild, das wir von unserem letzten Zweck haben, wirkt sich auf das Zusammenleben in der Gesellschaft aus. Den Sinn können wir nicht umschiffen. Ob wir den grauen Alltag absolvieren, uns im Rausch betörender Aktivitäten befinden oder Überdurchschnittliches leisten, in der Antwort auf den Sinn wird sich nichts ändern. Daraus schöpft sich eine gewaltige Lebensenergie. Sie wird nicht gemacht, sie wird nur erfahren. Das Glauben schwirrt nicht in undefinierbarer Ziellosigkeit herum. Gleichgültigkeit hätte ihre Konsequenzen. Es ist auch keine Theorie, genauso wie die Liebe und das Geistige es nicht sind.

Christlicher Glaube ist, so definiert es die Theologie, kein System, kein Moralpostulat, er ist eine frohe Botschaft, in der es um Lebenswahrheiten geht. Ein größerer Horizont wird umfasst, unter dem sich das Leben abspielt. Haben wir dies erkannt, stellen wir fest, dass wir nicht aus separierten Einzelteilen bestehen. Der Zusammenhalt ist ohne eine übergeordnete Klammer nicht auszudenken. Die Entwicklung des eigenen und des gemeinschaftlichen Lebens spielt sich zwischen dem

Einfluss der Gedanken und dem Verhalten in der Praxis ab. Die Entwicklung kann sich nicht selbst entwickeln. Das käme einem irrsinnigen Rotieren im Kreis gleich. Das Bild des berühmten Hamsterrades stellt es klar vor Augen. Dieses stereotype Dahinrotieren birgt in sich eine große Gefahr. Wie stellen wir uns ihr?

24. ZIELSETZUNG DER HOFFNUNG

Bleib auf der Kuppe des Hügels und du wirst von der Höhe das unvergleichliche Schauspiel von Hoffnung betrachten. Aus dieser Perspektive zeigen sich all die Dinge in einem anderen Licht. Zweifellos sind sie in eine universelle Ordnung eingebettet. Alle Dinge, die in der Zeit sind, haben ein Warum. Wie doch Zeit trotz ihrer Stumpfheit und Gegensätze auch profitabel sein kann! Das Wichtigste an der Zeit ist das Heute. Es darf nicht nutzlos verstreichen. Ein arabischer Spruch lautet: „Brot von gestern ist schon hart, Brot von morgen noch nicht gebacken, essen wir das Brot von heute".

In einem Gedicht von Gottfried Keller heißt es, „Immer die gegenwärtige Stunde ist die Stunde Gottes, das Stück Ewigkeit, das Stück Chaos, das um Gestaltung ringt in dir und durch dich“. Jede Minute ist ausschlaggebend, auch die des Entspannens und Ruhens. Sie wird ihren Zweck erfüllen. Vielleicht braucht es seine Zeit, bis wir die evidenten Zeichen erkennen. Mit zunehmendem Alter sieht jede Minute anders aus. Die Summe jeder einzelnen Stunde hat die innere Erkenntnis geformt.

Wenn wir auf den albernen Part des Zweifelns verzichten, kommen wir der Zufriedenheit ein gutes Stück näher. Geben wir also die schwarzen Einwände auf. Wagen wir es, die Hintergründe auszuloten. Wir finden die Antworten in der Stille, vielleicht auch in der eigenen Unsicherheit oder gar in der persönlichen Freude. Die inzwischen 3000 Jahre alte Weltliteratur des Ersten Testaments hat sich als Therapie der Vernunft bewährt. Was uralt erscheint, ist deswegen nicht überflüssig geworden.

Das Hauptargument liegt in den konkreten Dingen, die

trotz des Wandels beständig sind. Warum gibt es hier und heute überhaupt jemanden? Wir kommen nicht umhin, die dynamischen Zusammenhänge im Kosmos aus der Quelle eines allumfassenden Geistes zu erahnen. Wer sonst könnte einen glaubwürdigen Schutz gegen die ungeahnten Schwierigkeiten versprechen.

Es gibt die Einbrüche des Menschseins der verschiedensten Art. Die einen haben Schiss davor, andere stellen sich der Herausforderung. Einer der viel zitierten Psalmen des Alten Testaments reizt ganz besonders zur Reflexion: „Der Herr ist mein Hirte, nichts wird mir fehlen - Muss ich auch wandern in finsterer Schlucht, ich fürchte kein Unheil; du bist bei mir, dein Stock und dein Stab geben mir Zuversicht." Mit diesem Indiz könnten wir aus dem Labyrinth unerträglicher Gefühle und Schwierigkeiten herausfinden.

Da wir hinterfragen, woher wir kommen und wohin wir

gehen, muss es wohl eine Herkunft geben. Damit sind wir auf Zukunft programmiert. Nicht nur die Weisen entnehmen dem Angebot das Wissen, dass das Göttliche immer im Heute spricht. „Ich bin, der ich bin", „Ich bin da, mich kann man nicht auslöschen, weil ich bin", spricht Jahve zu seinem Geschöpf. Dieses ist außerstande, diese Worte bis ins Letzte zu interpretieren. Nicht alle sind bereit, sie zu übernehmen.

Es fehlt an Aneignung des nötigen Wissens und Einsicht. Gerade deswegen ist „das Wort Fleisch geworden und hat unter uns gewohnt", heißt es im Neuen Bund. Das bedeutet, dass das Göttliche in die Welt kam, es inkarnierte sich in der Menschheit, um das Reelle aufzuzeigen. Es geschah still und eindrucksvoll. Anders ist das christliche Glauben nicht zu verstehen. Dass ein paar Gefolgsleute, Apostel oder Jünger genannt, es schafften, in einer aufgewühlten Welt ihre erlebten

Erfahrungen zu verbreiten, zeugt von einer hohen Konsistenz der Inhalte. So werden keine Märchen geschrieben.

Immer wieder wird sich die Suche nach dem archimedischen Punkt der Sinn-Zusammenhänge aufdrängen. Im Materiellen wird er nicht zu finden sein. Glauben stützt sich auf Erfahrung, wenn es sein muss auf Überlieferung. Was die Menschen einst erfahren haben, waren keine Zufälligkeiten oder Träumereien, sie berichten von belegbar Erlebtem. Den nachkommenden Generationen ist es freigestellt, ihnen zu glauben oder das Überlieferte zu verwerfen. Nur wenn etwas geschieht, ist es nicht mehr rückgängig zu machen. Es ist in die Zeit eingebrannt.

Wo finden wir all unsere Vorfahren? Sind sie endgültig verloren gegangen? Dann werden wir es auch einmal sein. Worin liegt der Sinn, dass sie existieren? Menschen können vieles bezwecken und vollbringen. Mit dem Festhalten an ihrem Willen erreichen sie Erstaunliches. Nur dürfen sie sich nicht einbilden, dass sie alles alleine ohne die Zusicherung von außen bewältigen können. Im letzten Effekt werden sie zugeben müssen, dass sie auf das übernatürliche Wohlwollen angewiesen sind. Das hat nichts mit Glück oder Fatum zu tun, es hat einen Namen.

Immer schon lebte die Menschheit in kleinen Zeitenwenden. Bis eben die eine große kam. Möglicherweise ist es der Umbruch ins Zeitlose. Die Theologie fasst es unter den Begriff der Heilsgeschichte zusammen. Wir dürfen sie hören und betrachten. Die Schlussfolgerung liegt bei uns. Es sei uns gegönnt, von der Weisheit der eigenen Erfahrungen zu profitieren. Die Erkenntnis macht unsere Stärke aus. Die Zeichen kommen aus einer ungewissen Zukunft.

Es gibt den Weg nach vorne und der Mensch kann es schaffen, ihn zu bewältigen. Er muss sich nur überwinden und an Erkenntnis weiter wachsen. Damit tut er sich allerdings schwer, sobald die Werte aus den Augen verloren gehen. Welche Werte? Über sie sollte nicht so blindlings hinweggegangen werden. Sie machen das Menschsein erst wertvoll. Sie sind der Inhalt der Existenz des Individuums. Ihretwegen wird der Schrei des Schmerzes ausgestoßen. Wer kümmert sich de facto um den Menschen? Dieser Anruf aus der Bibel wurde von egoistischen Strömungen immer wieder konterkariert.

Also heißt es, die persönliche Authentizität wieder zu finden. Man muss sich in der Konzentration auf das Wesentliche nicht verstellen. Die Stärke bejahender Gedanken sendet besondere Signale, sobald der Mensch über Hoffnung nachsinnt. In diesem Zusammenhang präsentiert sich die Verehrung von Maria als

Gottesgebärerin. Ein Paradoxon? In allen Religionen ist der Mensch ein Suchender. Maria suchte nicht, es war ein Bote, der plötzlich vor ihr erschien. Was ihr verkündet wurde, war schon im Alten Testament vorausgesagt. Somit ist das „Ave Maria“ uralt biblisch verankert und gleichzeitig in seiner Wirkung ein sehr modernes christliches Gebet. Maria reagierte nicht als die privilegierte großartige Macherin, sie sagte lediglich das „fiat“, es geschehe“. Sie verkörperte damit den Menschen in seiner Perfektion als Entscheidungsträger.

Damit erscheint sie als die personifizierte Erwartung und wird so zum Vorbild für die Menschheit. Die philosophischen Schlussfolgerungen waren mannigfaltig. Alles stand in Kohärenz des Glaubens. Kein Element des Religiösen wird auseinandergereiht oder vermischt. Diese Ikone rückt auf als Verteidigerin der seelischen Freiheit, als sie im Gegensatz zum Nein des ersten biblischen Menschen bereit war, ihrerseits das Ja zu sagen. Sie lebt vor, was sie der Menschheit zu empfehlen hat. In vielen Situationen fühlt sich der Mensch unfrei. Es ist ihm aber freigestellt, mit ihnen frei umzugehen.

Maria ist kein religiöser Kontrapunkt, wie diejenigen meinen, die sie in das Reich der Hirngespinste abschieben möchten. Als Fürsprecherin für alle Generationen kann sie in der Christologie nicht ignoriert werden. Was verleiht ihr diese Stellvertreterrolle für die Menschheit? Warum hat sie Verweischarakter auf die Bestätigung des menschlichen Daseins?

Authentischer als Maria kann niemand den Christus und damit das Christsein erklären. In bestimmender Klarheit outet sie sich mit ihrem „fiat“. Es ist die Aufforderung an uns alle: „lass dich tragen“ „lass die Geschehnisse ankommen“. Die Bejahung ist für sie der Schlüssel. Sie war für das Offenbarte offen. Damit wurde sie das

Bindeglied zum Göttlichen, eine Vertreterin der Menschheit. Sie verkörpert keine menschliche Komposition, keine Theaterinszenierung, sondern das, worum es in der menschlichen Existenz geht. Sie ist privilegiert, für die Menschheit allgemein einzutreten, ja sie zu führen.

Es ist die Rede von der Verehrung Mariens, nicht von der Anbetung. Bei all den menschlichen Sehnsüchten und Bitten um Schutz, die ihr zugetragen werden, darf die Autorität Gottes nicht hintanstehen. Herausfordernd klingt es in den Ohren „Bitte Gott um alles, was du brauchst. Aber tu auch alles, was du deinem Gott schuldest". Darf man dabei nicht den Menschen verehren und um Schutz bitten, der diese perfekte Beziehung bereits hatte?

Es ist also unmissverständlich, dass Christen an den einen Gott glauben. Und sie haben zusätzlich das

Anrecht, die von jeher eingesetzte Gebärerin des „Menschensohns“ um Unterstützung anzurufen. Wo liegt also das Problem? Es sticht die Bedeutung des „fiat“ hervor, eben das anzunehmen, was im Willen des Göttlichen steht. Auf Gläubige wirkt diese Kraft phänomenal. Sie strahlt vor allem in den Augenblicken aus, in denen etwas schwer auf dem Individuum lastet. Es gibt keinen Beweggrund, darüber zu scherzen. „Es wäre für die Erde nicht gut, wenn sie verlernt hätte, mütterlich zu sein“ apostrophierte Papst Johannes Paul II.: „Christen sollten sich in die Schule Mariens begeben, um Christus kennenzulernen. Sie ist die Christus-Gebärerin, für die Menschheit ist sie Mutter. Eine gute Mutter kümmert sich um ihrer Kinder“.

Nichts anderes ist auf die Familie der Menschheit gemünzt. Immer wenn es Ungerechtigkeit und Kriege gibt, bleibt die marianische Sorge aktuell. Es kommt nicht von ungefähr, dass Menschen das Regulativ des

Schutzes herbeisehnen. Die kindliche Naivität ist gewollt. Das Kind in uns wird herausgehoben, um das scheinbar Unmögliche zu erreichen. Maria als besondere Mutter soll verständlich machen, dass alles ein Geheimnis ist.

Mit welch besonderen Formen und Strukturen werden wir da konfrontiert? Es käme einer Rhapsodie der Aussichtslosigkeit und der vergebenen Wirkungen gleich, zu meinen, man könne weder das eine noch sein Gegenteil beweisen. So würde der mörderische Kreisel nie aufhören, sich im Unheil zu drehen. Wer glaubt, die Beschäftigung mit dem Übernatürlichen sei deshalb Blasphemie, wird nie eine befriedigende Antwort erhalten. Im Gegenteil er/sie entfernt sich immer mehr von Logik und Sinn. Eben weil die Distanz zum Verstehen zu groß ist, wurde die Gottesgebärerin zur Vermittlung eingesetzt. Anders könnte man sich an der unendlichen Kraft des Absoluten gar nicht festhalten.

Wir haben schon herausgefunden, dass wir uns in einem ständigen Kampf mit uns selbst befinden. In uns selbst werden wir ihn zu Ende bringen können. Das Straucheln gehört genauso dazu wie das wiederholte Aufstehen. Mehr können wir nicht hergeben. Es wurde uns vermittelt, dass es gelingen könnte, wenn wir nicht aufgeben. Nur der Irrsinn der Auflehnung wäre imstande, uns zurückzuschleudern. Wollen wir das?

Die krassen Verfehlungen in der Geschichte der Kirche fanden nie dort statt, wo Maria mit im Spiel war. Sobald die Menschheit mit der Marienverehrung nichts mehr anzufangen wusste, kam der Glaube an das Göttliche in Schwierigkeiten. Die Leugner des Christus kommen oft aus der Reihe der Hetzer gegen das Marienbild. Die satirische Frage, wie Maria schwanger gewesen sein konnte, ohne Sex gehabt zu haben, greift ins Unerklärliche. Der Sarkasmus einer pubertären Auflehnung akzeptiert die dahinter stehende Erklärung nicht. Die Wirklichkeit ist weit mehr als nur ein Teil von ihr. Die Wissenschaft ist so ein Ausschnitt und sicherlich nicht das Ganze. Der Mensch kann lernen, aber er ist weder allmächtig noch allwissend.

Das beständig stärkende Licht lässt die Existenz positiv erleben. Im Normalfall drängen wir danach. Wir lösen uns von den Fragmenten des Unnatürlichen, das uns zu überrollen droht. Das Hineinhören in den Sinn wird uns weiterhelfen. Man sollte ihn pflücken können. Wir könnten glücklich sein, wenn es uns einigermaßen gelingt. Die Dornen dürfen uns von dem Neuen, das auf uns zukommt, nicht abhalten. Ist unsere Vorgangsweise richtig konzipiert, werden wir es genießen.

Die definitive Veränderung wurde bereits im Stall zu Betlehem angekündigt. Die Logik des Seins wird durch die Logik des Jesus Christus untermauert. Das Sein macht den Kosmos aus, der sonst nicht geschaffen worden wäre. Damit wird es dem Menschen möglich gemacht, sich auf die Nähe zum Übernatürlichen einzulassen. Es wäre ungeschickt, dieses Angebot gering zu schätzen. Unsere Schwäche wurde ja in den Dialog gelegt. Wie geht es uns dabei?

Oft genug wurde es hinausposaunt, dass es nicht reibungslos verläuft, an den Sinn heranzukommen. Zugegeben, es gibt die Chance, ihn zu entdecken. Die Früchte werden nicht ausbleiben, ob wir uns das so verdient haben oder nicht. Wer die Kraft hat, hinzulangen, wird sich möglicherweise glücklich schätzen. Der Zugriff ist jedenfalls aktualisiert. Er wird es auch so bleiben. Zwar gehört es zum Framing des irdischen Lebens, dass Kriege, Pandemien oder Katastrophen die Chronik vermiesen. Trotzdem suchen wir das rettende Licht schon in dieser Welt.

25. ECKPFEILER

Mit Sprache ist achtsam umzugehen. Bizarre Aussagen können Angst einjagen oder verletzen, Worte bauen auch auf. Die Antwort des Christentums auf die Ansprache des Übernatürlichen ist der Schlüssel zum Glauben. Es ist kein Glaube an die Kirche, wie es ungenau im verkürzten Glaubensbekenntnisaus übersetzt wurde. Der ursprüngliche lateinische Text lautet: „Credo in Deum“, „Credo in Jesum Christum, „Credo in Spiritum Sanctum“, (ich glaube an), aber „Credo Sanctam Ecclesiam“, ich glaube der heiligen Kirche, nicht an sie. Die sprachliche Correctness bedeutet nur, dass es nicht die Kirche ist, die angebetet wird. Bleibt immer noch das Faktum, dass ohne Kirche das Wissen über das Heil nicht einmal annähernd an die Menschheit herangetragen wäre. Kirche hat dann noch die Funktion der Danksagung, nichts mehr und nichts weniger. Um danken zu können, muss man erst einmal wissen, worum es geht.

Die richtige Kategorisierung macht die Relevanz der Zusammenhänge aus. Schon der griechische Philosoph Heraklit prägte das „gnothi seautón“, das „Erkenne dich selbst“. Es stand im Apollotempel von Delphi, dort war auch der Slogan „mēdén ágan“ „Nichts im Übermaß“ eingemeißelt war. Machen wir den Sprung ins 18. Jahrhundert, als der Naturforscher Carl von Limé die Grundlagen der modernen Taxonomie schuf. Er fand das gemeinsame Formmerkmal des Menschen heraus. Zu Beginn des 21. Jahrhunderts wurde das menschliche Erbgut entschlüsselt. Die Naturwissenschaft ist imstande, die genetischen Zusammenhänge zu beschreiben. Die Abstraktion der Wissenschaft beherrscht also sehr viel, von den Möglichkeiten auf Zukunft erfährt sie allerdings wenig.

Die Erfüllbarkeit der Ursachen führt zur Religion. Von der Logik wird beansprucht, das Natürliche als auch das Rationale an der Religion zu durchleuchten. Die Koexistenz dieser beiden Grundelemente ist für das menschliche Bewusstsein unentbehrlich. Es macht viel aus, die Weite des Wissens anzuerkennen und sie ins Bewusstsein zu heben. Ohne sie könnten wir nicht hinausfahren, dazulernen und schlussfolgern. Die Resultate werden jedoch unerfüllt bleiben, wenn sie nicht vom Übernatürlichen berührt sind.

Es gibt nur einen Gott, ist für die Gläubigen der vorherrschenden Religionen unstrittig. Im Widerstreit bleibt nur die Frage, wie er sich offenbart. Das Wie ist der Diskussions-Unterschied. Da wird keine Polemik weiterhelfen als allein die dem Menschen innewohnende Weisheit - oder ist sie schon verloren gegangen? Jedenfalls deckt das Übernatürliche das gesamte Panorama des Wissens ab. Metaphysische

Gedanken im religiösen Bewusstsein sind an und für sich nicht leicht zu verkraften. Wie ist also das Basiswissen der Transzendenz vermittelbar?

Vorausgesetzt wird, dass der Zweifel nicht im Widerspruch zur Hinterfragung steht. Was beeinflusst die Verbreitung einer Religion? Da spielt einerseits die geographische Sozialisierung, andererseits der Gedankenaustausch im Dialog eine grundlegende Rolle. Die vermittelten Perspektiven setzen auf Verständlichkeit bevor sie auf Akzeptanz stoßen. Es kommt darauf an, wie verständlich das Wissen, das aus der historischen Erfahrung überliefert wurde und doch sehr geheimnisvoll anmutet, vermittelt wird. Unter Druck kann die Übertragung wohl auch erfolgen, sie wird jedoch inhaltlich wertlos.

Die Nöte im Dasein lassen sich nicht verleugnen. Menschen bewegen sich vorzugsweise in einem Gefüge, das mit Hoffnung kompatibel sein will. Wenn wir es schaffen, in uns hineinzuhören, stoßen wir unweigerlich auf etwas, das das Geheimnis unterstreicht. Vielleicht spüren wir in der Präsenz des Übernatürlichen, was wir sonst nicht wahrnehmen würden. Grenzen werden überschritten und Formate bevorzugt, die das Unergründliche aktualisieren. Das Besondere kommt entgegen und wird wahrnehmbar.

Schon der erste mündliche Auftrag des Göttlichen im „Schma Jisrael" „Höre Israel" war, dass der Mensch höre. Kommunizieren ist zuerst ein Hören, kein ständiges Labbern. Und es entspräche nicht der Logik, wenn das Göttliche in einer limitierten Ausstrahlung auf diese Welt hätte kommen sollen. So kam es nach christlicher Überlieferung durch eine Frau in die Beengtheit der Welt. Als sie dann später dazu mahnte, das zu tun „was Er euch sagt", wurde sie zur Protagonistin des Hörens, zur geistigen Lehrerin. Sie will, dass gehört wird, vor allem das Wesentliche. Geschieht dieser Umgang mit den sogenannten letzten Dingen im Protest oder in der freiwilligen Annahme?

Ob das Erkennen aus Vernunft, aus Angst oder aus Vertrauen geschieht, ist zunächst einmal unerheblich. Es wird praktisch vernommen. Dann erst wird verspürt, was beabsichtigt ist. Darin liegt der Kern der Aussage des „fiat". Die Antwort wird gegeben, wenn wir sie hören wollen. Sie tut uns gut, von ihr können wir zehren. Das hilft, durchzuhalten. Der Mensch brauchte eigentlich nur mehr sich zu erinnern, zu reflektieren, anzunehmen. In welcher Weise die Erkenntnis bejaht wird, ist Sache des jeweiligen individuellen Bezugs zur Metaphysik.

Was würde mit dem Artisten am Trapez geschehen, wenn er sich fallen ließe und kein Vertrauen in seinen Partner hätte, der ihn auffangen soll? Bezogen auf das

Spirituelle, ist es der dem Menschen eigene Hochmut, die es schwer macht, das Unvermeidliche zu akzeptieren. Und trotz allem gibt es die Erkenntnis, dass etwas vorhanden ist, das größer ist als das Nichts. Daraus wird Kraft geschöpft. Das Vertrauen in das Auferstehen müsste gar nicht mehr verloren gehen. Denn es verdeutlicht das sinngebende Überleben. Als Alternative würde die Aussichtslosigkeit alles vernichten.

In einen der beiden Entwürfe wird wohl auch die persönliche Befriedigung gelegt, dass der Mensch der Promotor seiner selbst ist. Er muss es verstehen, mit sich selbst umgehen zu können. Das Buch unserer persönlichen Weisheit wurde aufgeschlagen. Doch was geschah? Entweder klappten wir es voller Überheblichkeit oder gar Zorn zu, oder ließen es aus Achtlosigkeit fallen, sodass die Blätter ungelesen durchflatterten. Es gibt noch eine dritte Möglichkeit, nämlich uns darin zu vertiefen, das Unbekannte doch noch irgendwie auszumachen.

Wie wir wissen, schwebt das Leben nicht so einfach dahin und schon gar nicht stellt es ein Vabanquespiel am Roulettetisch eines unbekannten Schicksals dar. Es ist derart ernst, dass wir es so oder so annehmen müssen. Wonach greifen wir mit unseren Gedanken? Wir sind auf den Sinn angewiesen. Wo werden wir ihn finden? Die Suche danach ist keineswegs vergeblich. Das Ende werden wir kaum selbst zusammenbasteln können.

Niemandem bleibt es erspart, sich durch das Negative durchzukämpfen. Es nützt nichts, sich Illusionen hinzugeben, schon gar nicht denen des Materiellen. Schwierigkeiten gehören zum Leben. Eigentlich sollte es leichter sein, einem Weg zu folgen, der zum Ziel führt, als zurückzubleiben und aussichtslos gegen das

Unausweichliche anzukämpfen. Das Leid wird akzeptiert, nicht weil man es mag, sondern weil alles seinen Sinn hat. Jene, die mit den Situationen hadern, befinden sich in schwierigen Grenzsituationen ihrer Befindlichkeit.

Machen wir das nicht alle mit? Gerade in solchen Momenten bietet sich der Versuch an, mit dem Absoluten zu kommunizieren. Beim Hineinhören in sich selbst bietet sich offensichtlich ein Kompass des Geistigen an. Vielleicht weist er zur Orientierung. Wenn wir aus etwas Absolutem hervorgebracht sind und Hoffnung versprochen wurde, heißt es aufstehen und weitermachen. Entweder pflegt der Mensch diese Verbindung oder er stürzt ab. Um den Kontakt aufrechtzuerhalten, benötigen wir niemand anderen als uns selbst, unseren eigenen Willen.

Wenn wir ernsthaft in den Spiegel schauen, erahnen wir

vielleicht diese Bindung. Fehlen die Perspektiven, wird es auch kein Vertrauen geben. Die Kommunikation müssen wir schon aus uns selbst heraus angehen. Nur so wird der Sinn des Lebens zur absoluten Notwendigkeit. Wenn wir das Positive für uns bekräftigen wollen, müssen wir es auch bejahen. Ab in die Zukunft, ist die spannende Herausforderung. Grundsätzlich ist doch anzunehmen, dass sich der Mensch verwirklichen will. Die Alternativen sind Zweifel und Aufstand. Sind dies gute Varianten?

Die Entscheidung positioniert sich im Wie. Vergleicht man die vierzehn Milliarden Jahre des Universums mit der Geschichte der Menschheit, befindet sie sich in jedem Augenblick auf den letzten fünf Minuten des Ziffernblattes. Beschleunigt sich vielleicht deswegen die jetzt so gefühlte Taktung des irdischen Systems? Dem Menschen scheint die Zeit zu fehlen, um über die Quintessenz der Dinge nachzudenken. Welchen

Vorwand fahren wir da auf? Ob wir in den Tiefen des Ozeans oder in den Weiten des Universums existieren könnten, ist eine wissenschaftliche Frage. Aus der Perspektive der Realität ist sie gleichgültig.

Das verborgene Wissen ist dem Menschen von vornherein nicht so einfach zugänglich. Es wird vermittelt. Der „Logos" kam zum Menschen, noch dazu über die Vermittlung eines Menschen. Er bedeutet dem Menschen das Heil. Der Messias, wie er der Welt bekannt ist, erschien nicht plötzlich aus den Wolken. Der Christus ist kein Vermittler, er ist selbst das Göttliche. Er ist es nach christlichem Verständnis, der den Sinn ausmacht. Das Geheimnis der Inkarnation ist keine Nebensache. Der Mensch wird wissen wollen, warum das so ist. Dies zu erkennen, wird nicht leicht fallen, aber es kann gelingen. Die Kontinuität bringt in Erinnerung, was vom Übernatürlichen gesetzt ist.

Das Glauben ist kein Auswendiglernen von Aussagen, viel mehr bedeutet es ein Sich-Öffnen für das Neue. Und es ist nicht machbar, es muss erlebt werden. Auch ist es kein Unglück, dass andere Religionen mit der christlichen konkurrieren. Es ist bloß ein irdischer Impuls, der das Auseinanderdriften in die Verschiedenheit der Religionen bestimmt. Den Dissens wird der Mensch so schnell nicht abschaffen können. Er bietet sich aber sogar als eine der vielen Möglichkeiten an, den legitimen Weg zu klären. Der Austausch der Ansichten, nicht ihr Abschalten wird die Gesellschaft einigen.

Damit erweisen sich die interreligiösen Dialoge als eine Voraussetzung zur Harmonie des Friedens. Die Argumente der Vernunft werden die Klärung bringen. Das Wesen von Kirche besteht darin, die Bedeutung des Göttlichen zu bezeugen. Die konkrete Beziehung zum Absoluten ist vorhanden. Die Religion lehrt nicht das

Beherrschen des Nächsten, sie führt zum Dialog, um sich der Wahrheit zu nähern. Das hat die Kirche nach umkämpften Epochen immer wieder neu zu lernen gehabt. Vom Standpunkt des Glaubens her muss die Verbindung in die Kirche hinein wachsen. Die Tuchfühlung soll nicht in Emotionen untergehen, damit das seelische Fortkommen des Menschen gestärkt wird. Wir sollten uns die Zuversicht bewahren, dass die Übernatur offen lässt, wann sie eingreift.

Trotzdem wäre es fatal, alle Religionen in letzter Konsequenz in einer konstruierten Kombination vermengt zu sehen. Es kann der Wahrheit nicht entsprechen, auf dem Jahrmarkt der Angebote sich das nächst Beste auszusuchen. Aus den Regalen das gerade Billigste herauszuholen, hat mit Sinnsuche nichts zu tun. Mag es Esoterik, Okkultismus, Spiritismus, Vielgötterei, Geistermedizin oder Reinkarnation heißen, ein Sammelsurium an Auffassungen stellt noch keine

Wahrheit dar. Übrigens ist es erstaunlich, wie manche Menschen im Glauben an die Reinkarnation davon überzeugt sind, in einem früheren Leben eine Prinzessin oder ein berühmter Krieger gewesen zu sein, aber nie darüber halluzinieren, die Rolle von Bettler/Innen gespielt zu haben.
Wie kann etwas glaubhaft sein, wenn es der Beliebigkeit unterworfen ist? Der Maßstab von Traum zur Wirklichkeit wird transparent. Die Antworten bekommen wir dort, wo sie wirklich beeindrucken. Die unverfälschte Kommunikation mit dem Spirituellen erweist sich letztlich an Ostern. Sie ist nichts Überraschendes, sie ist ja schon längst in den Kalendern unserer Zeitrechnung einkalkuliert. Das österliche Bild zeigt etwas ganz anderes als die eingeengte Anschauung des Materiellen.

Der Grundgedanke der Auferstehung ist die Quintessenz des menschlichen Seins. Sie beinhaltet die Ankündigung, dass das Geschöpf nicht verstoßen, nicht zum Nichts verdammt ist. Mit diesem Szenario umzugehen, ist ganz und gar nicht frustrierend. Da wird nicht die Betäubung des Schmerzes, nicht ein bloßes Vergessen zelebriert. Der Neuanfang ist es, der fasziniert. Das Erlebnis von Ostern dokumentiert die Sensation, vor dem Leben und nicht vor dem Tod zu stehen.

Der Wandel unterstreicht den Aspekt, dass man nicht bloß sterben muss, sondern sterben darf. Das vorläufige Sterben wird zu einer intensiven Phase des irdischen Lebens. Es bedeutet nach christlichem Verständnis keineswegs, dass das Individuum aus der Existenz aussteigt. Die Verwandlung in eine neue Realität wird ständig vorgeführt. Tod ist dann nichts anderes als ein Durchgang, ein Aufleben, kein Eingraben. Zum Wesen des Menschen gehört, die Dynamik zum Leben zu nutzen. Man muss sie nur gefunden haben.

Der Karfreitag macht die dunkle Seite des Lebens sichtbar. Ihm kann man nicht ausweichen, man muss sich ihm stellen. Danach kommt aber erst das Beste: Ostern. Wenn der Karfreitag das dokumentiert, was in der Unruhe durchlebt wird, dann bedeutet Ostern, dass die Allmacht den Menschen nicht allein lässt. Glücklich sind diejenigen, die aus eigener Erfahrung sagen können „Es gibt die Ordnung im Kosmos“.

Darin liegt die einzig Plausibilität, sich von Schwäche und Ängsten zu lösen. Was den unumkehrbaren Übergang in den anderen Seins-Zustand betrifft, es wird kaum jemanden unberührt lassen. Niemals hört der Mensch auf, zu suchen. Solange wir das Diesseits atmen, sollten wir es schön haben. Kein schlechter Vorsatz. Und danach? Jedes Mal, wenn der Mensch das Irdische zu sehr betont, bekommt er sofort die eigene Begrenzung zu spüren. Ist am Ende „alles für die Katz‘“? Es wird dem Individuum ermöglicht zu erkennen, dass es mehr ist als seine Physis. Die Schlüsselfrage stellt sich, ob es weiter existiert, wenn es seinen Körper wieder verlassen hat?

Loslassen ist gut, nur muss es auch einen Sinn haben. Jede verfälschte Fiktion wäre pervers. Die persönliche Chronologie, die Zeit, die zur Verfügung steht, bleibt immer ein sehr kleiner Abschnitt. Unterschiedlich sind die Herangehensweisen an das Freiwerden. Die eine kommt aus dem Trotz und ist aggressiv und selbstüberhöhend. Eine andere ist die Übergabe an die eigene Unterbewusstheit. Wird sie visualisiert, eben in dem was nicht gesehen werden kann, drückt sie sich in Dankbarkeit, Kontemplation und im Gespräch mit dem Absoluten aus.

Und immer wieder versuchen wir zu ermitteln, wer wir eigentlich sind. Unsere Identität begreifen wir, wenn wir alle Erfolge, Freuden, Leiden, Ängste oder Misserfolge immer im Wissen erleben, dass wir existieren. Wir erhalten die Möglichkeit, einen Modus anzuklicken, in dem wir nicht resigniert dahinleben. Wir bekommen die Chance, es zu erkennen. Dafür wird Dankbarkeit abverlangt, die sich der Realität fügt. Wollen wir in geistiger Unordnung vergammeln? Werden sich die Dinge wirklich zum Besseren wenden, wo wir doch in der Verunsicherung leben? Jedenfalls trifft es zu, dass zunächst etwas genommen wird, um dann noch Besseres zu erhalten.

Inwieweit ist unser Geist bereit, das Positive in der Ganzheit zu akzeptieren? Das Leben auf unserer Erde kann vielleicht schön sein. Das darf es sogar, muss es aber nicht. Jedenfalls wird es nie das Paradies bedeuten. Das Eldorado des Irdischen ist nicht auf Dauer versprochen. Stattdessen gibt es die Option auf ein neues Leben. Sie ist als Erlösung bekannt. Das Leid als solches anzunehmen, ist das eine, die Hoffnung zu genießen, das andere. Welche der beiden Schalen wird dominant sein? Das ist die entscheidende Frage unseres Maßstabs.

26. CONTENT DES SINNS

Das Universum mag vielleicht eine Brücke sein. Es muss wohl eine Verbindung geben zwischen dem gerade Erlebten, egal ob es rational oder irrational erscheint und der Welt der Zukunft. Dies ist nur möglich, weil eine Allmacht hinter allem steht. Dieser Gedanke findet sich überall in unserer Ideengeschichte, selbst in der Theorie der phylogenetischen Entwicklung eines Charles Darwin oder in der Relativitätstheorie eines Albert Einstein. Wenn wir zum Fluss kommen, gehen wir unwiderruflich über diese Brücke. Am anderen Ufer finden wir das, was uns erwartet. Kann es etwas anderes sein als die Wahrheit?

Die christliche Formulierung beschreibt sie als Liebe. Selbst die Trinität besteht im gegenseitigen Schenken.

Übertragen wird sie im Göttlichen vom Vater zum Sohn und umgekehrt vom Sohn zum Vater. Deswegen hat Christus nicht die Liebe, er ist sie. Nur so ist der Kreuzestod erklärbar. Wenn Schöpfung und Erlösung in Weihnachten und Ostern zusammengefasst sind, geschieht es als Zeichen der absoluten Liebe, der ‚Agape'.

Wir stehen aber noch vor einer anderen thematischen Klammer. Sie gilt für das Leben in unserem Alltag. Wenn es gelingt, eine Ausgewogenheit zwischen den Polen des Machtstrebens und des gegenseitigen Respekts herzustellen, bewegt sich die individuelle Selbstzufriedenheit auf ihren persönlichen Höhepunkt zu. Die weisen Entscheidungen treffen wir, wenn wir bereit sind, auf inhaltliche Tiefe, Weitsicht und Integrität zu setzen. Dies gilt für die Unternehmensführung genauso wie für die Politik und gerade auch die Rechts- und Gerechtigkeitsaktionen basieren auf diesem Prinzip.

Die Idee für eine gerechte Gesellschaft sollte nicht als naiv abgetan werden. Es wäre ein valider Beitrag zur Kultivierung der Emotionen im diesseitigen Leben.

Der altgriechische Sprachgebrauch, inhaltsreicher als der einer modernen Sprache, kennt mehrere Bezeichnungen für Liebe, den ‚Eros' als die sexuelle Leidenschaft. Die „Philia" ist die Freundschaftsliebe oder die Beziehung, die gefällt, wie etwa die zur Weisheit (Philosophie). Die ‚Agape' bezeichnet die uneigennützige Liebe und ist das mystische Wort für Gottesliebe.

Im Judentum galt bei der Schlachtung des Sühne-Lamms die Regel, dass dieses nicht widerspenstig sein durfte, sonst galt das Opfer nicht. Es ist bereits ein früher Hinweis auf das Bild im Neuen Bund. Das Lamm Gottes wehrte nicht ab und ging selber aus freien Stücken in den Kreuzestod. Die Weltsicht kehrte sich mit diesem

Ereignis um. Es geschah etwas Unerwartetes und es war nichts Punktuelles. Der unternommene Approach reicht bis in unsere Zeit und weiter. Nicht das Theater des irdischen Lebens, sondern die Aussage in der Seele ist Realität geworden. Es ist der Weg aus der Verzweiflung in die Hoffnung.

Weihnachten beginnt bei der Rückbesinnung auf das Sein. Das Vertrauen in dieses heilige Kind nährt sich vom späteren historischen Ereignis der Auferstehung. Es hilft, aus den internen Phantasmen herauszukommen, die sonst nur in Angst und Depression enden. Alles andere ist Eigenfabrikat an menschlichem Unverstand. Es unterscheidet sich von der Intervention von außen, von der Botschaft. Der „Content" geht auf zweierlei aus: auf das unausweichliche Dunkel zum einen, auf das erwartete Licht zum anderen. Beide Aspekte geben genug Anlass zum Nachdenken.

Der Brückenbauer jüdischer Prägung ‚Maschiach', der Messias, ‚der Gesalbte' ist eine Art Lotse. Für die Christenheit ist er kein Vermittler mehr. Er ist schlechthin der Sinn von allem. Jesus Christus bloß als einen Propheten anzusehen, wäre selbst für die Agnostiker irreführend. Diese Ja-Nein-Aussage wird zum existenziellen Signal: entweder ist der Menschensohn der Logos oder alles an ihm wäre ein historischer Schwindel. In dieser digitalen Schärfe wird klar, dass es nicht egal ist, an welchen Gott wir glauben. Es wirkt spannend. Wir selbst sind bei aller Bequemlichkeit für die richtige Einstellung verantwortlich. Sollten wir an der wesentlichen Beziehung vorbeieilen, verlieren wir an Substanz.

Die beiden Dichter Boccaccio und Lessing propagierten in ihren Parabeln die Vermischung sämtlicher religiösen Ideen und Philosophien. Synchronismus in den Religionen als austauschbare Wege zu Gott, ein solcher

Mix kann nur im Widerspruch zur Logik von Wahrheit stehen. Widersprüchliches ist nun einmal schwer zu kombinieren. Immer würde die Sprengung drohen. Besteige ich das Wasser oder schwimme ich den Berg hinauf? Wahrheit ist unteilbar, sonst wäre sie keine Wahrheit.

Die Übereinstimmung mit der Wirklichkeit bleibt untrennbar. Glaube nach dem Geschmack des Augenblicks ist unglaubwürdig. Eine heterogene Ansammlung von Gefühlen, Vorstellungen, Erinnerungen ist zu wenig für den Anspruch auf Wahrheit. Selbst wenn wir uns von allem Negativen und seinen Exzessen befreien wollten, stiftet das allein noch keinen Sinn. Die Selbstzähmung wäre bloß eine Alibifunktion des Sinnlosen.

Wie kommen wir aus dem Dilemma, vor allem aus der Gefahr heraus? Der Absurdität zu entkommen macht den Kick-off zum Sinn aus. Die welteigenen Täuschungen führten bislang immer in die Gewalt. Das Trugbild unseres Geistes strömt auf unheilvolle Stromschnellen zu. Wieviel Aberglaube hat uns hintergangen, bis wir es begriffen haben! Es waren vornehmlich Eigenkonstruktionen, die den Menschen durch den Rummelolatz der Eitelkeiten führten. Er fühlte sich in der Sinnentfremdung wohl.

Unleugbar sind inadäquate Kräfte in eine solche Entwicklung eingebunden. Sie beeinflussen in starkem Masse das menschliche System. Ihre Manipulation ist geglückt, sobald die menschliche Existenz ins Wanken gebracht ist. Sich derartigen Einflüssen zu erwehren, obliegt dem Kampf des Menschen gegen wen auch immer. Wird er ihn bestehen? Die mannigfaltigen Stiche sind nicht zu unterschätzen. Sie provozieren das Leid, das nicht mehr austilgbar zu sein scheint. Fast müssten wir uns selbst leidtun. Nur, Selbstmitleid wird das

Individuum nicht aus dem Chaos herausführen.
Als die Analytik der Vernunft aussetzte, verursachte sie Verhaltensstile, die eine ganze Palette von sozialen Pathologien aufmachte. Die Konsequenz war, das Heil in der subjektiven Bestätigung zu suchen. Ein derartiger Hochmut ließe sich umgehen. Anstatt lange hin und her zu argumentieren, reicht es kurzerhand, auf den Gekreuzigten hinzuweisen. So begreift es die Christologie. Es befreit von fatalen Ängsten. Zerrissenheit stößt auf Trost. Diese Kraftprobe müssen wir aushalten. Plötzlich wird uns die authentische Wahrheit vorgeführt.

Religion ist nicht organisierbar. Glück können wir jedenfalls nicht selbst fertigstellen. Kommen nur mehr Endprodukte auf uns zu? Glücksvorstellungen sind Projektionen, noch kein Endresultat. Wir kommen drauf, dass das authentische Glück ganz woanders liegt, als wir meinten. Also heißt es, die Maßstäbe neu zu justieren.

Irgendwo finden sich die Vorgaben dafür, dass das Übernatürliche immer vorhanden ist. Das Bibelwort „Ihr werdet das Glück nicht auf dieser Welt finden“ führt unmittelbar zur Frage nach den Grunddaten des Sinnhaften.

Wie wurde die Menschheit produktiv, was machte Sinn? Was konnte und was kann der Mensch erwarten, was braucht er? In der Glaubensvielfalt wird nur eine Antwort die richtige sein. Ist zwei Mal zwei vier, fünf oder sechs? Nehmen wir halt den Durchschnitt, vier durch Zufall? Nur ein Befund kann richtig sein Durch Zufallsrechnung oder Abstimmung wird Wahrheit nicht erreicht. Auch wenn wir in unterschiedlichen Sprachen reden und selbst dort noch in andersartigen Artikulationen, werden wir immer wieder zum gemeinsamen Gespräch zusammenfinden.

Entspringen die menschlichen Selbstheilungskräfte

letzten Endes doch dem Übernatürlichen? Das Glauben gehört zur Menschenachtung. Ebenso gehört es zur Würde des Menschen, dass das Göttliche, wenn auch Geist, nicht Objekt, sondern Subjekt ist. Der Versuch, dieses Verhältnis durch eine Verschwörung womöglich noch durch Online-Voting unterstützt aufzuweichen, würde daran nichts ändern.

Das Herausfiltern der eigenen Macht ist nicht Sache des Individuums selbst. So viel es auch für sich herausholen möchte, die Rechnung wird es nicht selbst machen. Das reicht gerade so aus, zu Staub zu zerfallen. Dass er zu Staub wird, hat der Mensch schon begriffen. Es erzeugt zweifellos Ohnmacht. Er kann sich aber gegen die Resignation wehren und zwar in seinem Bewusstsein von Seele. Das will er nun einmal wissen. Will er sie spüren, begibt er sich in die Sphären der Hoffnung. Das irre Herumstrampeln der Verschwörungstheoretiker wird nichts an der Existenz des Übernatürlichen verändern.

27. WIE ERFOLGT DER KICK-OFF ZUM SINN?

Selten bis gar nicht trifft der Moment ein, wo alles perfekt gelingt. Somit wäre es an der Zeit, Position zum universalen Angebot einzunehmen. Die Dinge werden immer reifer. Der persönliche Kick-off kann jedenfalls nicht passiv erfolgen. Wir werden nicht aufhören, seelisch zu existieren. Zwar haben wir selbst nichts zu steuern, denn was wir verrichten, besteht im Annehmen.

Wie ist das, eine Anforderung erfüllen zu wollen? Wir segmentieren unsere Lebensaufgaben in gedankliche und machbare und versuchen mit den Dingen fertig zu werden. Die Menschheit hat Aufgaben zu erfüllen, nämlich die Summe aller Aufgaben. Gebraucht wird eine Richtschnur, die anzeigt, wo es lang gehen könnte.

Etwas Bestimmtes und vor allem etwas Bestimmendes wird uns über das rein Materielle hinaustragen. Was über uns steht, sollte geehrt, aus christlicher Position sogar geliebt werden.

Es ist umfassend und intensiv. Wo sind wir geblieben? Hat uns die Welt überrollt? Die Erde hat sich um uns weitergedreht, ein neues Morgen ist immer wieder entstanden, der Sinn hat weiter gewirkt. Womit agieren wir mehr, mit Körper oder mit Geist? Die Rolle des Glaubens macht vieles möglich. Er ermöglicht die Befreiung. Der Kick-off wird in Richtung
Sinn abgegeben.

Sobald wir die Insignien der Hilflosigkeit abgelegt haben, steuern wir auf ein Ziel zu. Am Ende müssen wir uns soundso stellen. Wir erahnen, dass es etwas gibt, das sich ständig manifestiert. Und trotzdem wollen einige keine Kenntnis davon haben. Wir müssen fortfahren, es zu beschreiben. Es stärkt das Vertrauen ins Leben, zu Jederzeit. Die Historie wird uns in Erinnerung gerufen. Sie hat nicht nur auf die Ereignisse der Aktualität Einfluss, sondern auf die Summe der gesamten Geistesgeschichte. Haben die biblischen Propheten ein Wörtchen mitzureden? Was ein Elias erfuhr, davon spricht heute noch die Nachwelt. Verarmt sind diejenigen, die diese Zusammenhänge der Menschheit nicht wahrnehmen. Wer keiner Erinnerung hat, tut sich schwer zu begreifen, woher er kommt. Auch vergessene Wahrheiten bleiben Wahrheit.

Was bezweckt der Kick-off? Die Gedanken nähren sich aus etwas Bestimmten. Leider stemmt sich das Gespenst des menschlichen Widerspruchs dagegen. Falsch ausgeführt, sieht der Kick-off in der Geltungssucht eine Qualifikation. Und so schlittern wir ununterbrochen in den manipulativen Zwang, wie wir die Tatsachen verfälschen könnten. Doch werden die

Fragmente der egomanischen Bedürfnisse nicht ausreichen, die Prinzipien des Sinns auszutilgen. Was bleibt uns, wenn uns wichtige Tools verloren gehen, Lieblingsbeschäftigungen verwehrt bleiben oder kein Zugang mehr zu den liebsten Menschen vorhanden ist? Essenziell ist, den Augenblick in jeder Situation mit voller Anerkennung aufzunehmen.

Nicht von einer Ablenkung zur nächsten eilen, den Kern der Dinge anpeilen, darauf heißt es sich vorzubereiten. Bereit sein, ist alles. Die drei Merkmale von Zeit, die Vergangenheit, Gegenwart und Zukunft werden dabei kräftig mitmischen. Aus der Vergangenheit heraus verstehen wir, in der Gegenwart entscheiden wir, auf das Zukünftige bauen wir. Es gilt die heimliche Aufforderung, sich von der eigenen Einbildung zu lösen. Wir wollen sie nicht beachten. Auf diese Art der Offenheit vernehmen wir eine Resonanz der Werte. Der oberste wird wohl die Liebe sein.

Brauchen wir so etwas wie eine Weltanschauung, wenn wir soundso mitten in der Welt sind, in der wir leben? Nicht nur kluge Köpfe halten nach Gleichgesinnten Ausschau. Wer einmal Verbündete seines Denkens gefunden hat, darf dann auch gut zu sich selbst sein. Wir befinden uns innerhalb des engen Horizonts unserer nüchternen Umwelt, die voller Bedingungen ist. Sie machen uns fertig. Da könnte es nicht schaden, den Kontakt zum Transzendenten zu stärken. Manche stellen ihn sogar in die Mitte. Wir versäumen eine ganze Menge, wenn wir nach dem Physischen und dem Intellektuellen den dritten Faktor, das Seelische vernachlässigen.

Wir brauchen die Motivation auf dem Weg zur Transzendenz. Der Umgang mit der eigenen Realität wird es uns vor Augen führen. Auch die Seele ist nicht unverwundbar. Über ihre Verletzlichkeit hinaus ist sie imstande, das Übernatürliche zu erkennen. So allmählich wird klar, was oder wer der Mensch ist. Da kommt schon einiges im Inneren eines Glaubenssystems zusammen. Die unterschiedlichsten Ressourcen stoßen aufeinander. Das eigene Gewissen ist noch lange nicht der große innere Meister. Wie es ein satirischer Ausspruch des polnisches Aphoristikers Stanislaw Jerzy Lec ausdrückt: „Sein Gewissen war rein – er benutzte es nie“.

Daraus ergibt sich, dass die eigene Intuition aus der Enge heraus muss. Sie wird erst geformt. Die Formatierung geschieht nicht auf einmal. Sie erfolgt im Laufe der Zeit. Die einen verwenden sie zur Argumentation, andere spüren sie gerade noch so am Rande, für viele ist sie euphorisierend. Wie unbefriedigend muss die Erkenntnis sein, wenn das Individuum kein „nach vorne“ mehr zu haben glaubt! Mut wird dabei sicherlich abverlangt werden, ein sich Treibenlassen wird nicht ausreichen.

Der Kick-off ist nichts Passives. Das allzu freie Floaten ins Desinteresse hinein manipuliert die eigene Existenz und zwar nicht zum Guten. Der Selbstzweck des individuellen Menschseins wäre in diesem Fall selbstzerstörerisch. Die geistige Trägheit trägt nicht, im Gegenteil, sie zieht hinunter in die Verzweiflung. Die skeptische Seite des Lebens kann jedoch nicht mir nichts dir nichts wegtherapiert werden. Der positive Stimulus wird helfen, besonders in den schwierigsten Situationen des Lebens. Die Stärken der Hoffnung fahren die Ergebnisse ein. Man kann nicht alles besitzen, aber das definitive Ziel vor Augen zu haben, ist schon unendlich wertvoll. Es lässt das Alltägliche, ob es nun schön oder weniger schön ist, hoffnungsfroher erscheinen. Wir hätten eigentlich das Zeug zum positiven Kick in uns.

28. UNMISSVERSTÄNDLICH - DAS LICHT

Die Zugänge zur Lesart der eigenen Existenz sind unterschiedlich. Alle sehen sich als Experten. Die einen lassen das Dasein passiv walten, die anderen denken sich mit ihrem Verstand in die Wirklichkeit hinein. Im Glauben erfolgt ein Wandel von der selbst organisierten Gefangenschaft zur Freiheit. Es ist eine Chance, die dem Menschen zur Verfügung steht. Wo findet sich der Game-Changer?

Die Vorstellungskraft will auf neue Dimensionen greifen. Die Bandbreite dürfte gewaltig sein. Wird sich das Energieniveau dementsprechend ändern? Es amortisiert sich, denn die Wege zur Erkenntnis sind nicht versperrt. Die religiöse Unwissenheit macht nicht glücklich. Dem Sinn sollten wir nachgehen, ihm nicht davonlaufen. Es müsste nur gecheckt werden, in welche Richtung die Bahnen der eigenen Entscheidungen münden.

Warum reagieren Menschen bei der Akzeptanz so unterschiedlich? Liegt es an den Genen? Oder an unserer Selbst-Manipulation? Wer will denn schon von der Hoffnung abspringen und Meister der Enttäuschung werden? Wir werden zugeben müssen, dass das Wertvollste an unserem Organismus, der Maschine des „Ich“, der Geist ist. Wir nehmen ihn bedingungslos in Anspruch. Nur wie wird er beseelt? Wenn der Mensch auf seine Tätigkeiten zurückblickt, auf seine Erfolge ebenso wie auf seine Einbrüche oder auf was auch immer, wird er feststellen, dass das Augenblickliche immer auf etwas Zukünftiges ausgerichtet war.

Wir dürfen lernen, uns zu verstehen. Wir können uns untersuchen und kommen selbst über die ausgeklügelte Wissenschaft an kein Ende. Immer wird etwas eingreifen, das wir nicht beherrschen. Vielleicht blitzt es auf, dass wir großartig sind, aber wir sind nicht die Beherrscher von allem. Wir entdecken und erfinden alles Mögliche, um besser zu funktionieren. Doch jede Freiheit hat ihre Grenzen, sonst wäre sie ja keine echte Freiheit.

Wie ist das zu verstehen? Sollen wir das überhaupt verstehen? Natürlich hat der Mensch die Gabe des Verstandes - übrigens erhalten und nicht selbst produziert -, aus dem sich das Verstehen ableitet. Allerdings wird er nur asymptotisch verstehen. An den Rand der mathematischen Kurve der Ratio wird er von sich aus nicht gelangen können, genauso wenig wie er beim Verstehen des Urknalls bis auf eine minimale Nullkommastelle herangekommen ist, aber eben nicht ganz. Und gerade diese Minimalität der letzten Kommastelle ist enorm groß.

Die Ratio selbst braucht die Erleuchtung, denn aus sich allein kann sie auch viel Blödsinn produzieren. Den Rest des Verstehens müssen wir der Allmacht überlassen. So ausgereift sollte unsere Weisheit schon sein. Daran hat sich seit Urzeiten nichts geändert. Und trotzdem streben wir immer weiter, eben weil die Asymptoten sich dem Unendlichen nähern. Daraus nährt sich der unentwegte Erfindergeist unserer Intuition. Dieses Rätsel wird auch nicht zu knacken sein. Dem Menschsein macht das keinen Abbruch. Darüber steht noch der Wirkungsrahmen des Alpha und des Omega. Es ist schlicht die Ursache, wodurch wir sind. Ob wir damit gut umgehen können bekundet die Menschheitsgeschichte, eben eher schlecht als recht.

Das Frequenz-Spektrum des Glaubens weitet sich aus. Wenn die Proportionen von Denken und Glauben stimmig sind, wird sich das Richtige einstellen. Bei weitem wird nicht alles sofort verstanden, aber meistens das, was innerhalb der eigenen Erfahrung liegt. Ist unser seelisches Empfinden blockiert, wartet es darauf, freigeräumt zu werden. Weil Vieles so desillusionierend erscheint, erhoffen wir das Licht. Wie kommt es ins Leben?

Sinn bedeutet letzten Endes, dass es keinen Abbruch gibt. Der Sinn des Sinns ist sicher nur im Sinn wiederzufinden. Darüber hinaus gibt es nichts Sinnvolleres. Das gilt es zu reflektieren. Spätestens im Augenblick des Todes muss der Mensch gehorchen, vorbehaltlos. Mit einem Mal wird die Realität begriffen, oder auch nicht. Selbst dann könnte noch die Versuchung zur Verzweiflung, zum Hochmut, zur Aufgabe und zur Bitterkeit aufflammen. Den Tod übersehen, ist nicht ideal. Ihn entsorgen, ihn verdrängen, wird spätestens bei seinem Eintreten illusorisch. Wurde vergessen, wer der Mensch ist?

Nur weil es das Schreckliche in unserer Vorstellung nicht konkret geben darf, wird der Tod im Denken unterdrückt. Dies ist eine unwürdige Beleidigung menschlicher Intelligenz. Unsere ganz alten Vorfahren dürften dieses Manko nicht so gelebt haben. Nun gilt es aber auch für alle künftigen Generationen, dass früher oder später der Tod näher an das Individuum heranrückt. Die schlimmste Voraussetzung ihn zu überwinden ist, von nichts eine Ahnung zu haben. Wie gehen wir mit den Rahmenbedingungen um? Mit einem Male spielen die biblischen Sätze keine untergeordnete Rolle mehr.

Wie schlimm muss das sein, wenn das Nichts vorherrscht. Dann wäre es am besten, möglichst bald nach den erfolgten Mühen müde in ein prüdes Aus hineinzufahren. Anders formuliert: wenn wir nicht zu kulturlosen Wesen mutieren wollen, dürfen wir uns nicht vom Göttlichen abwenden. Ich lebe erst, wenn meine Wünsche erfüllt sind, dürfte nicht gerade die richtige Einstellung sein. Nicht alles ist praxisorientiert, das Wichtigste ist seelischer Natur. Darunter ist kein magisches Wissen zu verstehen. Wir versuchen ja so und so, das Leben auf irgendeine Art zu versinnbildlichen. Im Vordergrund greift noch das Materielle in den Alltag ein. Wünsche treiben uns an, machen uns lebendig. Aber wir wollen nicht zugeben, dass wir auf die Umstände angewiesen sind. Wohin führt also der Life-Guide?

Das Essenzielle im Geistigen zu erwarten, ist ein hoher Anspruch. Es geht um das Weitergeben von Werten und Perspektiven zum Leben hin. Die Begegnung mit dem Absoluten beginnt mit der eigenen Existenz. An das Überirdische nicht zu glauben, obwohl es gegenwärtig ist, erweist sich psychotisch. Auch wenn man es sich nicht vorstellen kann, ist es trotzdem Realität. Das Leben will ernst genommen werden. Die Intimität mit dem Göttlichen darf dem Menschen nicht gestohlen werden.

Was geschieht, wenn das Leben geradezu vorhanden, aber der Zusammenhang überhaupt nicht ersichtlich ist? Wie bringt sich die optimistische Botschaft in eine ermüdete Gesellschaft ein? Wir müssen zunächst einmal davon ausgehen, dass die unbekannte Zeit uns immer die Möglichkeit gibt, Zukunft vorläufig mitzugestalten. Unsere Mitbeteiligung kann nicht ausgeklammert werden. Der Augenblick der Zeit wird einmal scheitern. Das Ende ohne Ende bietet sich an, es hört nicht auf.

Wer ist auf sich allein gestellt? Es bieten sich ergänzend zahlreiche geistige Leitbilder an, die wir um Rat fragen können. Mit den gewonnen Inputs werden die eigenen Gedanken so geordnet, dass sie eine attraktive Wirklichkeit aufblitzen lassen. Die Aufmerksamkeit lenkt ein, verändert oder verstärkt die Einsicht. Das Leben gestaltet sich dann zu einem befriedigenden Resultat des eigenen Denkens und Wollens. Wie funktioniert Christenheit als Weltreligion? Es ist die Bewegung vom Übernatürlichen zum Menschen hin und wieder retour. Hinter dem Christentum steckt keine menschliche Manipulation, sondern eine Weisheit, die geoffenbart wurde. So versichert es nicht allein der Apostel Paulus.

Wir erleben es immer wieder, dass der Mensch das denkt, was er zu denken glaubt. Nicht immer ist es das Wahre. Machen wir uns doch nicht selbst zum größten Maßstab. Ob wir dem, was überliefert worden ist, Glauben schenken wollen oder nicht, ist dann immer noch unsere persönliche Entscheidung. Die ungefilterte Lebensweisheit reicht zum Verständnis nicht aus. Sie bietet zu wenig, sie ist keine Religion, sie enthält noch keine Bindung an das Übernatürliche. Sie wird nichts Grundsätzliches ändern.

Der Bogen vom Alpha zum Omega, vom Ursprung zum Ziel hat schon eine unheimliche Spannweite. Der erste Mensch fühlte sich zunächst einmal nackt, als er vom Licht ins Dunkel stürzte. Plötzlich musste alles verhüllt werden. Es wieder zu enthüllen, ist anstrengend genug. Die Philosophin Gerl-Falkovitz beschreibt es als „den Weg zum Wiedergewinnen des Verlorenen, des nicht Verdienten“. „Das Nichtverdiente war schon im Dornbusch durch Jahve manifest, im Staunen auf das, worauf man selbst nie draufgekommen wäre“.

Ob wir den Berg hinaufsteigen oder durch die Lüfte fliegen, ob wir den See durchschwimmen oder sonst irgendetwas tun, im Zentrum steht die Existenz. Nach einem sehr unkonventionellen philosophischen Ansatz ist weder Anfang noch Ende notwendig. Ins Zentrum des Geschehens wird die Zielorientierung gestellt. In der Christenheit ist Christus die Mitte. Das Über-Sich-Hinausgehen wird die ganze Kraftanstrengung benötigen. Wie einfältig kann der Mensch sein, wenn er bei der Frage stecken bleibt, was das Ganze überhaupt soll. Irgendwann muss er sich dessen bewusst sein, wer er selbst ist und wo das Göttliche ist. Er müsste danach trachten, auf diese Meta-Ebene zu gelangen, wo der Stress des Nachdenkens und die versöhnende Liebe fusionieren. Immerhin vermittelt das Christsein, dass die unnötige Lastaufbürdung nicht der eigentliche Sinn des Lebens ist.

Unerlässlich und unverzichtbar bleibt der ständige Kontakt zum Göttlichen. Weltliche Güter und Reichtümer vergehen. Normalerweise ist sich der Mensch dessen bewusst, dass er In dieser Welt nur Verwalter, nicht Eigentümer ist. Es gibt aber etwas für ihn, das bleibend ist. Zeitlos heißt, von vornherein das Unvergängliche im Blick zu haben. Dass es vom Göttlichen ausgeht, hebt die Entscheidungsfreiheit des Menschen nicht auf. Dafür steht er in der

Verantwortung. Schon auch vom Menschen selbst hängt seine Zukunft ab.

Auf dieser Erde sichern wir uns am besten eine persönlich optimierte unmittelbare Zukunft, indem wir geistig elastisch und körperlich robust bleiben. Entscheidend dabei ist, dass wir uns aufrichtig erkennen. Als Person brauchen wir die innere Geborgenheit. Sonst gehen wir in dem unter, was auf uns zukommt. Die Entscheidung kann immer nur auf uns bezogen und nie isoliert erfolgen. Wie dringen wir zum Wesentlichen vor?

Die Überbetonung des Oberflächlichen hemmt die vertikale Verbindung zum Übernatürlichen. Bedenklich wird es, wenn solch unreflektierte Prinzipien in unserem Denken überhand nehmen. Haben wir uns an sie schon gewöhnt? Dann glauben wir unbedingt das, was wir gerne glauben möchten, aber nicht das, worauf es ankommt. Aus unseren selbst fabrizierten Vorstellungen kommen die komischsten Segregationen hervor. Die einzelnen Elemente polarisieren, bringen keine Einigung, nur Zwiespalt. Er wurde vorausgesagt. Somit schlagen die Defizite in die Denkprozesse immer größere Löcher. Was kommt nicht alles ins Wanken, wenn das einzelne Individuum nur das festsetzt, was es möchte!

Es gibt auch die Fitness für die spirituelle Aktivität. Auf sie zu verzichten, wäre nicht ratsam. Sie wird nicht erst später, sondern sofort benötigt. Denn in keinem Augenblick sind wir bloß ein Stadium einer Substanz, die durch bestimmte Etappen läuft. Im Religiösen erscheinen ganz intensiv die Bilder, wie die Dinge tatsächlich sind. Ist einmal die exzessive Ichhaftigkeit abgelegt, erscheint alles viel rationaler. Wer hat die Welt lebenswerter gemacht? Der Mensch etwa allein? Hat er sein Verhalten gegenüber sich selbst, gegenüber der Welt oder gar gegenüber dem Übergeordneten verbessert?

Mit den irdischen Illusionen zu experimentieren, egal ob in Zeiten des Unglücks oder der emotionalen Höhepunkte, ist kein guter Ansatz. Haben wir tatsächlich den Atheismus, die Esoterik, den Genderwahn und all das nötig, was dem übernatürlichen Motiv widerspricht? Wenn die Ratio, die Vernunft, nicht mehr funktioniert, kommen die Konsequenzen für das Individuum ins Trudeln. Es ist nicht gut, den existenziellen Fragen auszuweichen. Sie zu verleugnen oder vor ihnen davonzulaufen, wird nichts nützen. Unsere Ausrede lautet, wir seien auf die Anstrengung in das Essenzielle gar nicht angewiesen und wollen uns damit gar nicht belasten. Jedem Menschen wird letztlich zugemutet, diesen Widerspruch aufzulösen.

Es wird immer wieder etwas nach dem Danach geben,

bis es die Zeit nicht mehr gibt. Auch sie ist vergänglich. Weihnachten wird in seiner Symbolik immer vor der Tür stehen, genauso wie Ostern. Symbole sind sinnstiftend. Ihre Theorien sind von der Praxis gar nicht so weit entfernt. An die innere Stabilität klammern wir uns ganz fest. Um sie binden unsere Lebensschleife. Die Hoffnung ist das Intelligenteste, was uns passieren konnte. Sie enttäuscht nicht, denn das Übernatürliche kommt ständig auf uns zu. Alles dreht sich um das Eine. Es ist die Antriebskraft zunächst einmal allen Tuns hier auf Erden.

Wir könnten die geheimnisvoll unbestimmten Ansagen von der Übernatur durchaus aushalten. Sie sind komplex, aber nicht kompliziert. Es bedarf nur des Willens, sie nicht kurzerhand zu simplifizieren. Die Grundausstattung ist jedem Menschen mitgegeben worden. Es geht also darum, sie auch zu verwenden. Warum ist das Gipfelgefühl so unfassbar gut? Das

Empfinden im Erlebnis ist unbeschreiblich. Der Gipfel der eigenen Existenz wird erklommen. Er ist der Ort, an dem keine Enttäuschung mehr stört. Alles löst sich in der Beziehung zum Übernatürlichen auf. Dort sind wir über sämtliche Grenzwerte hinaus überlebensfähig. Die Philosophie sieht darin das vollendete Glück, die Theologie sieht darin den Kern von Gnade, Es ist definitiv die Sehnsucht des Menschen, der leben will. Keine Philosophie zu verwerten wäre Lüge, wäre Betrug.

29. ÜBERSCHREITEN DER GRENZWERTE

Was also zählt, ist der Kick-off über die Linie hinaus zum Sinn. Er rührt an der Norm der Grenzwerte. Der Mensch ist generell auf die Optik von Grenzwerten eingestellt. Ski-Rennläufer betrachten eine gerade abgelaufene Renn-Saison sehr positiv, wenn sie gesund und heil überstanden wurde. Sie blicken jedoch weiter und sind über den einen oder anderen errungenen Platz am Podest glücklich. Das Gefühl steigert sich, wenn es nicht nur Siege bei den üblichen Rennen gab, sondern sich Medaillen bei Großereignissen unter den Trophäen fanden. Das Denken in Grenzwerten streift immer ihre Höhepunkte.

Auch die Wirtschaft wird ständig von Grenzwert-Berechnungen bestimmt. Das Management in Unternehmen geht gewieft mit Grenzwerten von

Projekten, Gewinn-Margen oder Produktspezifikationen um. Und wie sieht die Grenzwert-Bestimmung in der Philosophie aus? Ist das irdische Leben die wichtigste Bestimmungsgröße? Oder steht darüber hinaus noch mehr? Ist es das ewige Glück? Diese Bezeichnung ist ja wie bereits beschrieben unrichtig, denn streng genommen gibt es die Ewigkeit gar nicht, weil auch die Zeit einmal aufhört. Trotzdem bietet sich eine Unvergänglichkeit der Erfüllung an.

Das Herantasten an die Grenzen ist eine wohlwollende Aufforderung. Die Philosophie kalkuliert damit, dass Raum und Zeit nicht unbegrenzt sind. Die Astrophysik unterstreicht dies, egal welche Theorie sich durchsetzen wird, ob der Kosmos nun implodiert, zerfällt oder explodiert. Einig sind sie sich alle, dass er ein Ende hat. Wo das hinführen wird, daran scheiden sich die Geister. Nihilisten, Atheisten, Agnostiker glauben an das Nichts. Gibt es das Nichts? Wo liegt sein Sinn? Es läuft darauf hinaus, unmöglich das eigene Wesen zu finden. Als Gegenpol erfasst die bejahende Wahrnehmung das Sinnhafte in einer anderen einzigartigen Resonanz. Die gemeinsamen Interessen könnten genau dort liegen. Sie zu realisieren müsste gelingen. Nur, wir haben uns vielleicht noch nicht so richtig hineingewagt.

Wenn Menschen an Grenzwerte herangehen, wollen sie ins Staunen kommen. In der Philosophie versucht man sie zu übersteigen. In der Spiritualität des Religiösen sind sie bereits überschritten worden. Und das ist gut so. Für bewusste Wesen, muss die letzte Wirklichkeit nichts Utopisches sein. Wo versteckt sich dann die Glückseligkeit? In diesem Wort ist die Seele ins Spiel gebracht. Wo bleibt sie? Es wäre durchaus unsere Aufgabe, sie zu bestätigen, ist sie ja der Gradmesser unserer Authentizität.

Es wäre an der Zeit, auf die Angebote zu reagieren. Die

Sphäre des Unbekannten ist nicht so undurchsichtig wie es scheint. Wir durchleben einen Prozess, der sich über Jahrtausende abspielt. Einzigartige Welten jenseits von Raum und Zeit tun sich auf. Die Erwartungshaltung nicht zu stören, würde sich auszahlen. Die Betrachtung dieser Faszination muss mehr als bloß zur Akzeptanz, ja zur Ehrfurcht führen.

Vieles wird uns gegeben, auch wenn wir meinen, dass es uns genommen wurde. Die Vorwegnahme des Möglichen lässt uns erbeben. Das ist immer noch besser als in Melancholie zu versinken. Die alten Weisheiten haben immer noch ihre Gültigkeit, auch in der Moderne. Das Banale verstummt, wenn man zu lauschen versteht, was die Weisheit zu sagen hat. Die Weltenordnung verlangt es aus dem Innersten heraus.

Wenn wir alles nur auf uns selbst beziehen, wird unser Tun stümperhaft. Auch der Kick-off würde schwach ausfallen. Sind wir überfordert? Wir sollten es nicht sein, denn in der Einfachheit liegt die Würze. Dann tun wir uns leichter auf der Linie vom Woher zum Wohin, auf dem Weg vom Dorther zum Dorthin. Im Visier der Sinne wird eine Oase der Zufriedenheit sichtbar. Doch die Triebe der Unvernunft stemmen sich dagegen. Das daraus entstehende Unheil droht mit seinen Erpressungen. Wir müssten uns selbst wieder finden, hoffentlich in einer nicht allzu harten Landung. Dann erfahren wir, ob wir im Nichts aufgegangen sind oder gar noch Schlimmeres aussteht.

Die Propagandisten des Negierens reden uns ein, dass wir uns glücklich schätzen sollten, wenn wir nichts mehr verspüren. Die Gretchenfrage kreist um das Problem, ob wir auf das Unermessliche zugehen oder im Gigantismus der eigenen Präpotenz baden wollen. Um nicht in einen Hokuspokus einzutauchen, wurde uns der Mut zur Demut gepredigt. Dennoch würde ein passives Ruhen nicht ausreichen. Der Kick-off müsste schon kräftig erfolgen, damit er nicht ins Leere geht.

Verfehlen wir das Ziel, kippen die Folgen unweigerlich ins Negative. Für Spannung ist allemal gesorgt. Werden wir es rechtzeitig herausfinden? Neugierig lenken wir den Blick auf das Übergeordnete. Intensiv hören wir darauf. Es ist auffällig, dass wir von Haus aus nicht eingeschränkt sind, außer vom eigenen Willen. Könnte es sein, dass wir schon derart aus dem Rhythmus gekommen sind, dass wir es gar nicht bemerken? Damit wir in der Suche nach Erkenntnis nicht ermüden, wird uns die Planung des Trainings zur Spiritualität viel abverlangen. Wieviel Prozent des Potenzials werden genutzt, um in das Größere hineinzuwachsen?

Was beschreibt die Grundlagen und Ursachen der Strukturen von Sinn und Zweck des Seins? Wie gelangen wir In die Realität der Transzendenz? Die philosophische Disziplin der Metaphysik ist ein probates Hilfsmittel. Dort wird dem verborgenen Ursprung begegnet, dort sehen wir den Grund und das Ziel des Seins. Es wird aufgedeckt, was verschieden von den Sinnen ist. Die Zugehörigkeit zu etwas Allumfassendem entwickelt sich weiter.

In der Erkenntnissuche liegt nichts Unverständliches. Es fehlt aber noch die Basis für eine zufriedenstellende Weltansicht, die logische Kultur, die daraus resultieren kann. Die Gänge sind zwar verschlungen und dennoch unter bestimmten Voraussetzungen zugänglich. Es ist anzunehmen, dass sie nach einer absolut logischen Ordnung verlaufen. Sie ist nicht undurchsichtig, nichts Dunkles, eher unheimlich hell. Unsere religiöse Intelligenz könnte den Weg ausfindig machen.

Um dies zu erreichen, muss das Wissen über unsere mentalen Zustände und Prozesse ständig gewartet werden. Das Ergebnis sollte aufgehen. Dann könnte es sein, dass wir die Welt des Übernatürlichen auf irgendeine Weise erspüren. Wenn der Sinn im Absoluten liegt, besteht konsequenterweise die Aufgabe darin, es zu suchen. Denn es ist seit eh und je vorhanden. Es ist unwiderstehlich, danach zu greifen ist alles. Der Kick-off zum Sinn reißt uns aus der Lethargie dem Sein gegenüber heraus.

Wir erwerben Kenntnisse und damit ein Stück Verantwortung uns selbst gegenüber. Wir sind jedenfalls befähigt, es zu schaffen. Die Suche bewältigen wir vor dem Hintergrund dessen, was wir glauben. Sie erfolgt nicht über ein Hip-Hipp-Hurra, sie verlangt eine überlegte Vorgangsweise. Die Initiative liegt definitiv in unserer Kompetenz. Das Wollen und das Reflektieren können wir uns nicht ersparen. Die Methoden werden unterschiedlich sein, die Ressourcen stehen uns zur Verfügung. Die Schritte in die Qualität werden sich verbessern, wenn wir nicht locker lassen.

Der konstruktive Moment wird eventuell überraschen. Man kann ihn gar nicht organisieren, er tritt einfach ein. Die scheinbare Ausweglosigkeit ist schnell überwunden. Die Bedeutung liegt im Denkstil. Wir können ihn uns leisten, auch wenn es bisweilen einer langen Vorlaufzeit bedarf. Wie sicher sind wir uns? Es dürfen sich nur kein Spiel mit den Einsichten und kein Versuch-und-Irrtum-Modus einschleichen. Die Leidenschaft für das Richtige entwickelt sich dann von selbst. Den ersten Schritt dorthin könnte man als die große Chance bezeichnen. Er führt in eine umfassendere Lebensqualität. Es muss einfach unternommen werden.

J-G Matuszek

Studium: Empirische Wissenschaften, Systemanalyse, Politische Wissenschaften, Internationale Beziehungen, Kommunikationswissenschaften, Philosophie, Doktorat. Sprachwissenschaften. Dipl-Dolmetsch, Magister. Postuniversitär: Marketing, Werbung-PR-CI, Management-Controlling, Innovations- u. Development-Management. Lizenzierter Consultant.

Berufe: Manager für Multinationale Konzerne. Management- Contracting in Mittelständischen Unternehmen. Consulting und Coaching. Vorstand und Verwaltungsratspräsident mehrerer Unternehmen in Deutschland, Schweiz. Geschäftsführung im Bereich Zertifizierung von Firmen und Organisationen.

Stiftungsrat der Foundation „Globility-Circle“. Dozent an diversen Universitäten und Business-Schulen. Buchautor. Ehem. Leistungssportler, Sporttrainer. High-Tech-Kooperationen für Leistungs-Diagnostik/ Optimierung in Sport und Business.

BUCHVERZEICHNIS

NEW VALUE ECONOMY	ISBN 978-3-9812632-0-6
MANAGEMENT DER NACHHALTIGKEIT	ISBN 978-3-658-02289-1
SPORT FÜR MANAGER	ISBN 978-3-658-03637-9
MANAGEMENT DER POLITIK - EUROPA	ISBN 978-3-99010-852-9
EUROPÄISCH DENKEN	ISBN 978-3-738-62559-2
EUROPÄISCH HANDELN	ISBN 978-3-7504-1450-1
MANAGEMENT VERSUS SPIRITUALITÄT?	ISBN 978-3-8543-1450-1
RUF NACH DEM SINN	ISBN 978-3-7481-4419-9
MUT ZUM SINN	ISBN 978-3-7504-189439
MANAGEMENT SET-UP	ISBN 978-3-75194-1884
DER MANAGER Roman	ISBN 978-3-7526-4891-1
REFLEXIONEN	ISBN 978-3-7526-0386-6

Lightning Source UK Ltd.
Milton Keynes UK
UKHW010633230721
387648UK00001B/104